本书编写组 编

中华优秀传统文化书系

Excellent Chinese Traditional Culture
The Works of Mencius

孟子

（四）

山东画报出版社

出版说明

　　山东是儒家文化的发源地，也是中华优秀传统文化的重要发祥地，在灿烂辉煌的中华传统文化"谱系"中占有重要地位。用好齐鲁文化资源丰富的优势，扎实推进中华优秀传统文化研究阐发、保护传承和传播交流，推动中华优秀传统文化创造性转化、创新性发展，是习近平总书记对山东提出的重大历史课题、时代考卷，也是山东坚定文化自信、守护中华民族文化根脉的使命担当。

　　为挖掘阐发、传播普及以儒家思想为代表的中华优秀传统文化，推动中华文明与世界不同文明交流互鉴，山东省委宣传部组织策划了"中华优秀传统文化书系",并列入山东省优秀传统文化传承发展工程重点项目。书系以儒家经典"四书"(《大学》《中庸》《论语》《孟子》)为主要内容,对儒家文化蕴含的哲学思想、人文精神、教化思想、道德理念等进行了现代性阐释。书系采用权威底本、精心校点、审慎译注,同时添加了权威英文翻译和精美插图,是兼具历史性与时代性、民族性与国际性、学术性与普及性、艺术性与实用性于一体的精品佳作。

前言

　　《孟子》是记录孟子及其弟子言行以及孟子游说各国国君、同各派思想家进行辩论的语录体著作。它集中反映了孟子的思想体系，同时保留了不少战国时期的历史信息，为我们理解孟子、走进百家争鸣那个时代提供了基本材料。

一、孟子其人其书

　　孟子，名轲，战国时期邹（今山东邹城）人。相传孟子是鲁国贵族孟孙氏后裔，幼年丧父，家庭贫穷，迁居至邹，由其母抚养长大。

孟子是继孔子、曾子、子思之后儒家学派又一位重要人物，被后世誉为"亚圣"，与孔子并称"孔孟"。其生卒年不见详载，杨伯峻考证为约公元前385年到公元前304年。孟子在书中说："予未得为孔子徒也，予私淑诸人也。"孟子以继承孔子衣钵为己任，但未能言明其师是何人。关于孟子之师，学界有所争论，但多以《史记·孟子荀卿列传》所载为是，即"受业子思之门人"，也就是说孟子是孔子的孙子——子思的再传弟子，可谓是儒门正宗。所以其书以继承发扬孔子的思想为要，正所谓"退而与万章之徒序《诗》《书》，述仲尼之意，作《孟子》七篇"。

《孟子》的主要内容来源于孟子自是无疑，可其具体作者，学界有不同认识，比如孟子自著；孟子门下弟子万章和公孙丑之徒在孟子死后所著等，其中以在孟子生前由弟子辅助所著最能为人接受。《史记》记载《孟子》为七篇，而应劭《风俗通义·穷通篇》却说："退与万章之徒序《诗》《书》，仲尼之意，作书中、外十一篇。"《汉书·艺文志》也著录"《孟子》十一篇"。赵岐以《外书》四篇为伪，故不为之作注，后世研读者日少，逐渐亡佚。到了明代，姚士粦又伪撰《孟子外书》四篇，清人周广业指斥其"显属伪托"，梁启超则以其为"伪中出伪"。

　　《孟子》七篇，每篇分上下，计十四卷二百六十章，总计三万五千余字，是"四书"中部头最大、内容最丰富的一本。但长期以来《孟子》一直处于子书或传文位置，直到五代十国时期后蜀诏刻十一经将其列入，后宋太宗加以翻刻，《孟子》才开始进入经书行列。到南宋朱熹把《论语》《大学》《中庸》《孟子》合刊编写《四书章句集注》，《孟子》更加受到学者重视，孟子的思想也更大程度上影响了中国古代思想史的进程。

二、《孟子》之思想

《孟子》一书思想宏大、细致入微，主要反映了孟子本人及其同时代人的人性论、政治思想，以及孟子本人独特的经济思想、生态观、工夫论，其中涵盖了其与时人的义利（欲）之辩、人禽之辩、性命之辩、心体之辩等诸多内容。但由于其语录体的展开形式，孟子的同一思想多散落到各篇的许多章中，我们在理解的时候要仔细爬梳，把同一主题的全部相关内容放到一起进行综合判断，而不能一叶障目、断章取义。

人性论　人性论是先秦诸子乃至整个中国思想史的核心论题，孟子的人性论更是其思想体系的出发点和终极依据。孟子的人性论是通过其与告子的辩论展开的，主要见于《告子上》一篇。告子认为"性无善无不善"，其时还有人认为"性可以为善，可以为不善"，后来荀子则力主性恶论，与此相对，孟子的人性论为性善论。这些都是继孔子"性相近"之后的不同阐发路径。

孟子"性善论"之"性"是指人之异于禽兽的"几希"之性，而不是作为实然起点的与生俱来的性的全部；其"善"则是指道德意义上的正向发挥。孟子证明性善是通过心善来完成的，以心善言性善，即本心在摆脱生理欲望后自主呈现的善，是人之所以为人的道德主体，是性善的根本依据。所以其有涵盖恻隐之心、羞恶之心、恭敬之心、是非之心的"四心"说，并以此四心为仁、义、礼、智四德之端，由此说明"四心""四德"皆"非由外铄我也，我固有之也"。需要注意的是孟子并不认为四德是齐一的，而仍是以"仁"为统领的。既然性是善的，那恶又从何而来？孟子认为人受于耳目物欲之蔽而丧失其本心，恶由是而生。告子认为"食色性也"，但孟子认为耳目之欲一类虽从与生俱来意义上是为性的，而从其实现意义上则取决于外，是有命的，故人的本心是会被物欲所蔽而最终失于流放的，所以"君子不谓性也"。既然恶能产生，我们又当如何处理呢？

孟子提出"求其放心"的方法论。"放心"就是被物欲"引之"而流失的本心，若要回归本性之善，必须找回此"放心"，使其复如原态。此一过程全由人的自觉意识和自主行动主宰，所以孟子的性善论既是对人的价值的肯定，也推动了人主体自由的崛起和心灵自主的实现，正如其所说"万物皆备于我"，以及"舍我其谁"的自信精神。

性情关系是孟子人性论的又一重要论述，"乃若其情，则可以为善矣，乃所谓善也"，其意为情理并非经验，应然未必实然，价值根源于主体自觉，实现价值的能力就在性善的本质之中。孟子的人性论是和天命论相伴而行的，其内在逻辑为"尽其心者，知其性也；知其性，则知天矣"。由此而衍生出"存其心，养其性，所以事天也"的工夫论。

　　工夫论　孟子的工夫论可以概括为：存心、养性、集义、养浩然之气。存心、养性皆直接出自其性善论，前文已交代明白，此处，外加一条便是防范本心之失的根本措施——寡欲。

　　孟子极为注重集义，不仅与告子进行义内义外的辩论，而且直言"礼门义路"，把践行仁义作为人生唯一的根本正途。由集义而生养浩然之气，浩然之气至大至刚，就是"集义所生者"。人性是善的，但社会环境是复杂的，环境的复杂极易导致人性背离本善，所以人人皆需时刻自持。总之，孟子的工夫论就是保养其性善论的方法论，就是扩充四端的根本要求。

　　政治思想　孟子的政治思想是其思想体系的致用主体部分，也是先秦各家政治思想中的巅峰之作。如萧公权《中国政治思想史》所说："孟子之政治思想遂成为针对虐政之永久抗议。"孟子直接继承孔子"苛政猛于虎"

的批判，针对"民之憔悴于虐政"的现实情况，孟子把孔子仁的思想具体发展成为切于时弊的仁政思想。孟子仁政思想的巨大贡献在于其扭转了政治思想中的君民关系，把统治者为政治意志统领的位置转变为一切以人民的意志为根据，统治者遂沦为政治的执行者，而人民成为真正的政治归属，即民本思想。

孟子的"民为贵，社稷次之，君为轻"一语道破玄机，成为中国历代君王头上那把高悬的民意之剑。遵循民意也就成了统治者行事的根本出发点，必得以民"所欲与之聚之，所恶勿施尔也"，也就是《梁惠王下》中所说的"国人杀之"。如果统治者不以民意行事，甚至为国作乱、恣意施政，那该怎么处理呢？孟子对此提出了政权转移的学说。齐宣王以为"汤放桀，武王伐纣"是弑君行为，而孟子却说："贼仁者谓之贼，贼义者谓之残，残贼之人谓之一夫。闻诛一夫纣矣，未闻弑君也。"可见君之为君必得践行仁义，而不能戕害仁义、祸乱百姓，否则君便不再称其君，人人可取而代之。但此一政权转移说被历代统治者解释、执行为双重标准：一方面，在取代上一政权时，批判其违背民意而被自己取代；另一方面，到王朝后期，政治日渐腐败时，自己则对此说讳莫如深。基于此说，孟子在游说各国君主时，常常劝其施行仁政、招揽人心，此所谓"王道"（"王天下"之道）。

由仁政，孟子还提出了与之相关的具体措施，其中蕴含了与民养教、发展经济、保护生态等特色内容。"先王有不忍人之心，斯有不忍人之政矣"，王者要有"天下有溺者，由己溺之也……天下有饥者，由己饥之也"的同情之心，以及在此同情之心的基础上发展出"解民于倒悬"的"不忍人之政"。民众的幸福首先来自生活的富足，所以孟子提出"制民之产"，提出"五亩之宅，树之以桑""鸡豚狗彘之畜，无失其时""百亩之田，勿夺其时""谨庠序之教，申之以孝悌之义"的养教措施。只要统

治者肯认真施行，则"黎民不饥不寒""民养
生丧死无憾也"，进而民有所恒产，"有恒产
者有恒心"，也就避免了"无恒产者无恒心。
苟无恒心，放辟邪侈，无不为已"的混乱局面，
如此也就不会"不王"了。

　　孟子的经济思想进而衍生出了生态保护
的思想，即"数罟不入洿池""斧斤以时入
山林"，虽然很难说孟子自主意识里保护自
然的思想是成熟的，但这种朴素的主张确实
有其重要历史意义。而且孟子经济思想中还
兼顾农、工、商诸业。对于农业，他构建了
理想化的"井田制"（无论井田制在孟子之
前是否施行过，孟子提出的井田制都是一种
土地改革意愿式的理想化主张）；对于工商
业，他提出"关，市讥而不征""市，廛而
不征，法而不廛"，使其自由发展而不设限。
孟子的政治思想博大精深，在战国时期诸侯
争霸的时代背景中可谓是一股清流，但其"贵
王贱霸"的主张和诸侯国君的利益诉求背道

而驰，常被认为是"迂远而阔于事情"，终未被接受和施行，而其在思想史上却具有深远意义，对后世为政者的警醒和对民众的养教也有着不可磨灭的历史贡献。

我们分析孟子思想体系时，尤需注意孟子的人文关怀、现实关怀，注意其以继承发扬孔子思想为己任的使命感，注意其发先圣所未发的创新点，注意其针对"邪说"加以批驳的责任感。其论说多有所指，而非是"好辩"而已。其说："杨墨之道不息，孔子之道不著，是邪说诬民，充塞仁义也。"

三、七篇贻矩，惠及今日

清雍正皇帝手书"七篇贻矩"金匾，悬挂于山东邹城孟府大堂檐下正中，向人们昭示着孟子著书的伟大功绩和对后世的惠及之恩。本书能将两千多年前孟子的著述再次呈现给读者，并把其中的思想价值进行现代化阐释，也是我们承担历史接续的光荣。

《孟子》的历史价值　孔子罕言性与命，
到子思则大论性命，到了孟子更是把儒家性
命论推向了高峰，所以学界有"思孟学派"
一说。这一性命论不仅参与了先秦诸子的历
史讨论，还直接影响了宋明以来程朱理学、
陆王心学的此起彼伏。孟子的政治思想虽未
能在当时施行，但其理论进步意义远高于当
时指导兼并战争的"合纵连横"思想，而且
孟子反对战争，认为"春秋无义战"。孟子
的仁政思想其实不是简单的民本主义，其内
在确实含有近代民主主义的色彩。自秦以降，
中国历代都没能很好地执行孟子政治思想中
最为根本的积极因素，甚至某些时候与之背
道而驰，与孟子思想比照起来可以说是一种
历史的倒退。孟子在其思想中呈现出的伟岸
人格为历代读书人所景仰，孟子思想中的永
恒意义一直照耀着我们前行的道路。

《孟子》的现实价值　孟子距今已两千

余载，但其思想时刻浮现在我们脑海，其教诲始终萦绕于我们耳边。继承孟子思想是我们的历史责任，发扬孟子哲学是我们的时代使命，所以我们必须深入理解孟子思想，解剖其实质内涵，辨析其根本，进而完成其创造性转化，通过实践使之得到创新性发展。回望身后，其实也照耀着前方的路。孟子思想体系中的积极因素，既有着进行历史研究、哲学研究、政治研究、社会研究的重大学术价值，也有着指导当下实践、启发政治生活、警醒不良之风的实际意义。而这些意义的实现前提是我们要立足当下，科学把握孟子思想，真正把《孟子》读好、读透。

Contents

尽心上

13.1

孟子曰："尽其心者，知其性也。知其性，则知天矣。存其心，养其性，所以事天也。殀[1]寿不贰，修身以俟[2]之，所以立命也。"

Mencius said, "He who has exhausted all his mental constitution knows his nature. Knowing his nature, he knows Heaven. To preserve one's mental constitution, and nourish one's nature, is the way to serve Heaven. When neither a premature death nor long life causes a man any double-mindedness, but he waits in the cultivation of his personal character for whatever issue; —this is the way in which he establishes his Heaven-ordained being."

【注释】［1］殀：同"夭"，夭亡，短命。［2］俟（sì）：等待。

【译文】孟子说："人如果能尽到善良的本心，就能知道人的本性；知道了人的本性，那么就知道天命了。保存自己的本心，涵养自己的本性，就可以事奉天命了。寿命长短，都贞定专一，努力修养自身来等待天命，这就是安身立命的做法。"

【解读】本章作为尽心篇的首章，开篇便提出了"心""性""天"三大概念，并细致阐释了三者之间的关系。首先，三者为何物？"心"乃是人的本心，具体而言就是"心之四端"（恻隐、羞恶、辞让、是非）；"性"为人的本性，是上天所赋予人的基本特质，孟子认为这个特质就是"善"（关于性的特质存在争论，如荀子的"性恶论"、告子的"性无善无不善"）；"天"就是天命，是自然界、人类社会、个人发展须遵循的规律和法则，而非宗教意义上具有主观意志的上帝神。其次，三者关系如何？朱熹《四书章句集注》引程子曰："心也、性也、天也，一理也。自理而言谓之天，自禀受而言谓之性，自存诸人而言谓之心。"也就是说，三者一体。保持本心，则能彰显人性的"善"，而"善"正为上天所赋予，因此也便顺从了天命。然而人的寿命有长有短，那要如何去做呢？孟子认为，寿命的长短并不是评判人生价值的标准；修养自身、彰显心性，才是处理"心""性""天"三者关系的正道。孟子从认识论与方法论两大维度给予我们人生启迪：生命的长度是有限的，与山河日月相比不过"沧海一粟"，然而生命的宽度却是我们能够把握的。游戏人生、消极避世的做法是不可取的，不断加强修养、丰富自身，以拓展生命的宽度，才是人生发展的正途。

13.2

孟子曰："莫非命也，顺受其正。是故知命者，不立乎岩墙[1]之下。尽其道而死者，正命也。桎梏[2]死者，非正命也。"

Mencius said, "There is an appointment for everything. A man should receive submissively what may be correctly ascribed thereto. Therefore, he who has the true idea of what is Heaven's appointment will not stand beneath a precipitous wall. Death sustained in the discharge of one's duties may correctly be ascribed to the appointment of Heaven. Death under handcuffs and fetters cannot correctly be so ascribed."

【注释】［1］岩墙：高而将要倒塌的墙。［2］桎梏（gù）：脚镣、手铐，指束缚人和事物的东西。

【译文】孟子说："没有什么不是天命所决定的，顺应它，便能得到正常的命运。所以知晓天命的人，不会站在危险的高墙之下。力行善道而死的人，符合正常的命运。犯罪受刑而死的人，不符合正常的命运。"

【解读】在本章中，孟子进一步来详细论述天命。天命至高广大，世间万物兴衰都由天命所决定，万物要想生存、发展，最根本的就是要顺从天命。知晓天命的人，自然明白哪些是有害的，哪些是有利的，因此他们会趋利避害，不会将自己置于危险的处境。当然，"善"仍旧是天命赋予人的基本特质。有时会因推行善道，导致自己遭遇厄难，但这是顺善道而行，因此仍旧是"正命"。那些违法作恶而死之人，即便生前取得再多利益，但究其根本是违背善道的，他们与"立乎岩墙之下"者一样，是不知晓天命的，所以他们遭受的是"非命"。孟子告诫人们，要遵从天命行事，推行善道，利己利人，即便一时不被理解、信任，甚至遭遇挫折，也不应当改变；那些违法作恶之人所遭受的报应，实际上是他们自己的行为所导致的，正所谓"多行不义，必自毙"（《左传·隐公元年》）。

13.3

孟子曰："求则得之，舍则失之，是求有益于得也，求在我者也。求之有道，得之有命，是求无益于得也，求在外者也。"

Mencius said, "When we get by our seeking and lose by our neglecting; —in that case seeking is of use to getting, and the things sought for are those which are in ourselves. When the seeking is according to the proper course, and the getting is only as appointed; —in that case the seeking is of no use to getting, and the things sought are without ourselves."

【译文】孟子说："追求就能得到，舍弃便会丧失，这种追求有益于获得，因为所追求的东西存在于我自身。追求有方法，能否得到取决于命运，这种追求不利于获得，因为所追求的东西存在于自身之外。"

【解读】在本章中，孟子将人们的追求分为两大类：一类是"求则得之"，追求即可得到；另一种是"求之有道，得之有命"的追求，需要一定的方法，最终能否得到则由天命决定。前一种追求，追求的对象在于自身，如仁义礼智，这种追求是顺从天命的，是有益于自身而无害于他人的，故能"求则得之"，恰应了孔子所说的"为仁由己"。后一种追求，追求的对象在于外界，如功名利禄，因为干扰的因素众多，所以最终结果不可预料，这也照应了孔子所说的"富贵在天"。实际上，孟子此番言论秉承了孔子的思想，通过对比两种追求，鼓励众人去努力追求自身的仁德。人生于世间，有所追求，这是人之常情；努力去追求自身的仁德，不耽于外界的功名利禄，才是面对这攘攘世间的正确态度。

13.4

孟子曰："万物皆备于我矣。反身而诚，乐莫大焉。强恕^[1]而行，求仁莫近焉。"

Mencius said, "All things are already complete in us. There is no greater delight than to be conscious of sincerity on self-examination. If one acts with a vigorous effort at the law of reciprocity, when he seeks for the realization of perfect virtue, nothing can be closer than his approximation to it."

【注释】［1］强：勉力。恕：仁恕之道。

【译文】孟子说："世间万物之理都具备于我心中。反省自身而达到诚实之境界，没有比这个更快乐的。努力按照恕道行事，追求仁的境界，没有比这个更接近的。"

【解读】在孟子看来，人自身已具备了发扬善性、秉承善道的全部条件，故本章一开始便提出了"万物皆备于我"这一观点。那么应当如何去利用自身具备的这些条件呢？于是孟子在下文中又提出了具体的方法："诚"与"恕"。诚，就是去彰显自己纯正的善性，使自己表里如一；因为顺从本性行事，自然也就无所违心，快乐自然源源不断地从内心涌出。恕，就是推己及人；在处理别人与自身的关系时，做到"己所不欲，勿施于人"（《论语·卫灵公》），常怀恻隐之心，那么就接近于仁道了。正如朱熹《四书章句集注》所讲："行之以恕，则私不容而仁可得。"孟子在本章的言论意在阐释一个核心概念——"为仁由己"，同时也照应了上一章所讲的"求在我者也"。生活中具备行善先决条件的"我"，要想求取仁德，不必向外索求，只需要做到以诚示人、以恕为人、胸怀坦荡，如此，快乐便会充盈内心，仁德自然也会容易养成。

13.5

孟子曰："行之而不著^[1]焉，习矣而不察焉，终身由之而不知其道者，众也。"

Mencius said, "To act without understanding, and to do so habitually without examination, pursuing the proper path all the life without knowing its nature—this is the way of multitudes."

【注释】［1］著：明白。

【译文】孟子说："做了却不明白为什么要这样做，习惯了也不知其所以然，一生遵循这种方式生活却不知这种生活方式的道理，这样的人太多了。"

【解读】关于本章的理解大体分为两种，一种是基于孟子的性善论，认为善道是潜藏在人们行为习惯之中的，不易被人们所"著""察"。很多人终生顺由此道行事，却不知所行的正是善道，如《易传·系辞上》所言："百姓日用而不知。"另一种理解认为，社会中很多人缺乏主体自觉性，做了而不知为何要做，做了而不知对错与否，习惯了也就认为是理所当然，一生稀里糊涂地活着。这种人没有反思意识，有可能自己一直在走弯路，却还感觉自己是正确的。故而孟子这一番话，是要告诫人们凡事应当多追问、多反思，知其然并知其所以然，不断地去反省自我、审视自我，明白自己的方向与原则，从而改行正道、坚守正道。

13.6

孟子曰："人不可以无耻。无耻之耻，无耻矣。"

Mencius said, "A man may not be without shame. When one is ashamed of having been without shame, he will afterwards not have occasion to be ashamed."

【译文】孟子说："人不能没有羞耻。没有羞耻之心的可耻，那才是真正的无耻。"

【解读】本章主要谈论羞耻之心的必要性。在孟子看来，人要有羞耻之心，而不能无耻；如果不以无耻为耻，那是真的无耻。这是为何呢？有羞耻之心者，能够知其所不为之事，即便是做了有违法律、道德之事，他会感到自责、不安，这种人仍是可以拯救、教化的；

而无羞耻之心者，无所不为，做了违背法律、道德的事情，他也心安理得，没有任何的愧疚、后悔，这种人是无可救药的。羞耻之心作为"心之四端"（恻隐、羞恶、辞让、是非）中的一种，对个体来讲具有重要的意义。一个人如果没有羞耻之心，那么他便会无所不为，久而久之，害人害己。因此在生活中保持羞耻之心，不令其遮蔽，实是人生必要之事。

13.7

孟子曰："耻之于人大矣。为机变^[1]之巧者，无所用耻焉。不耻不若人，何若人有？"

Mencius said, "The sense of shame is to a man of great importance. Those who form contrivances and versatile schemes distinguished for their artfulness, do not allow their sense of shame to come into action. When one differs from other men in not having this sense of shame, what will he have in common with them?"

【注释】［１］机变：机谋，权诈。

【译文】孟子说："羞耻之心对于人关系极大。好行阴谋权诈之术的乖巧者，是没有羞耻之心的。不羞耻（自己）不如他人，又怎能赶得上他人？"

【解读】本章谈论羞耻之心的重要性。孟子开门见山，提出"耻之于人大矣"这一观点，随后具体讲述了两类没有羞耻之心的人：一类是"为机变之巧者"，另一类是"不耻不若人"者。前者具有很强的时代背景，孟子所生活的年代，国与国、人与人之间，已很难再讲求信誉了；纵横家们更是巧舌如簧、两面三刀，为了获得利益而不择手段，即使诡计被揭开，他们也能掩饰自己，这种钻营取巧之人是无耻的。后者则是放弃自我进步的人。在群体中，人会相互比较，当我们发现自身在某些方面不如别人的时候，羞耻之心会令我们产生羞耻感，而羞耻感会推动我们去弥补这些不足，故而我们常说"知耻而后勇"；而没有羞耻之心的人，对此会不屑一顾，更不会设法提升自我，自然也就难以赶上他人了。本章提醒我们在生活中当存有羞耻之心，切勿钻营取巧，发现自己有不如人之处，就立即去提升自我。

13.8

孟子曰："古之贤王好善而忘势，古之贤士何独不然？乐其道而忘人之势，故王公不致敬尽礼，则不得亟^[1]见之。见且由不得亟，而况得而臣之乎？"

Mencius said, "The able and virtuous monarchs of antiquity loved virtue and forgot their power. And shall an exception be made of the able and virtuous scholars of antiquity, that they did not do the same? They delighted in their own principles, and were oblivious of the power of princes. Therefore, if kings and dukes did not show the utmost respect, and observe all forms of ceremony, they were not permitted to come frequently and visit them. If they thus found it not in their power to pay them frequent visits, how much less could they get to employ them as ministers?"

【注释】［1］亟（qì）：屡次，多次。

【译文】孟子说："古代贤明的君王喜欢善言善行，而不把自己的权势放在心上，古代的贤人又何尝不是如此？乐于自身的行道，不把他人的权势放在心上，所以王公大臣不恭敬尽礼，就不能常常见到贤人。相见尚且不可多得，更何况要把他们当作臣属呢？"

【解读】本章谈论贤士与权势的关系，揭示了道统不必屈于政统，道、势和谐方为正理。古时的贤王和贤士都是喜好善言善行的，贤王好善而忘掉了自己的权势，贤人好善而忘掉了别人的权势，因为在"善"面前，大家都是平等的，而是否拥有权势并不重要。贤士好善而据理，所以直而不屈，能够在面对权势之时能保持操守与风骨。在孟子看来，真正的贤者应当是"乐道忘势"的不召之臣，他们有自己所追求的道德理想，视权力、名禄如草芥一般，以至于那些王公大臣也不能随便与之见面，更不可能使其屈尊为臣。故朱熹注曰："言君当屈己以下贤，士不枉道而求利。"（《四书章句集注》）孟子这番话，乃是讽刺当时那些为求闻达而屈从王公贵族的士人们，同时，也告诫我们应坚持善道而不屈于权贵。

13.9

　　孟子谓宋句践曰："子好游[1]乎？吾语子游。人知之，亦嚣嚣[2]；人不知，亦嚣嚣。"

　　曰："何如斯可以嚣嚣矣？"

　　曰："尊德乐义，则可以嚣嚣矣。故士穷不失义，达不离道。穷不失义，故士得己[3]焉；达不离道，故民不失望焉。古之人，得志，泽加于民；不得志，修身见于世。穷则独善其身，达则兼善天下。"

Mencius said to Song Goujian, "Are you fond, sir, of travelling to the different courts? I will tell you about such travelling. If a prince acknowledge you and follow your counsels, be perfectly satisfied. If no one do so, be the same."

Goujian said, "What is to be done to secure this perfect satisfaction?"

Mencius replied, "Honour virtue and delight in

righteousness, and so you may always be perfectly satisfied. Therefore, a scholar, though poor, does not let go his righteousness; though prosperous, he does not leave his own path. Poor and not letting righteousness go; —it is thus that the scholar holds possession of himself. Prosperous and not leaving the proper path; —it is thus that the expectations of the people from him are not disappointed. When the men of antiquity realized their wishes, benefits were conferred by them on the people. If they did not realize their wishes, they cultivated their personal character, and became illustrious in the world. If poor, they attended to their own virtue in solitude; if advanced to dignity, they made the whole kingdom virtuous as well."

【注释】［1］游：游说。［2］嚣嚣：自得无欲的样子。［3］得己：即自得。

【译文】孟子对宋句践说："你喜欢游说吗？我告诉你怎么游说：别人理解，安详自得；别人不理解，也安详自得。"

（宋句践）问："该怎么做才能时时安详自得呢？"

（孟子）说："尊重道德，爱好仁义，那么就可以安详自得了。因此士人即使在穷困潦倒之时也不会失去仁义，发达显贵时也不会背离道德。穷困潦倒时不失去仁义，所以士人能自得；发达显贵时不背离道德，所以百姓不会对他失望。古代的人，得志时，会对百姓施加恩泽；不得志时，会修养自身品德并展现于世。困顿时要独自修养好自身，显达时要造福天下百姓。"

【解读】孟子通过与宋句践的对话来叙述游说时应具备的心境，其中"穷则独善其身，达则兼善天下"一句，被后世士人奉为圭臬。孟子认为，真正懂得游说的士人，无论别人是

穷则独善其身，达则兼善天下　梁文博 绘

否能够理解、接受，都应当保持安详自得的心态。那么如何才能安详自得呢？在孟子看来，要达到这种心境，最根本的就是尊重道德、喜好仁义。通常来说，一个人处于困顿时，很容易人穷志短而放弃内心的道义；在显达时，很容易忘乎所以而离弃正道。故而真正的贤士在他困顿之时，能够克己修身；当他显达于世时，则会福泽万民。这种人进退有据，无论是困顿还是显贵，都能够不失自我、不失民心。孟子这段箴言，与我们今天所讲的"不忘初心"有异曲同工之妙：守住本心，不以物喜，不以己悲；不得志时则充实、提高自己，得志时则显露本领，以利国利民。

13.10

孟子曰："待文王而后兴者，凡民也。若夫豪杰之士，虽无文王犹兴。"

Mencius said, "The mass of men wait for a king Wen, and then they will receive a rousing impulse. Scholars distinguished from the mass, without a king Wan, rouse themselves."

【译文】孟子说："等待像周文王那样的君主出现后才奋发向上的人，是平凡的人。至于那些杰出的人才，即使没有周文王那样的君主出现，也能够奋发有为。"

【解读】庸常之人需要有圣王的教化启发，才可达到奋发向上的状态；而真正的豪杰之士即便没有圣王教化，他们也能够奋发有为。上天赋予生民以相同天性，只是豪杰之士能够固执此道，不为外物所扰，虽入乱世而不改易，故朱熹《孟子集注》言："盖降衷秉彝，人所同得，惟上智之资无物欲之蔽，为能无待于教，而自能感发以有为也。"当今之中国正处于国力稳步上升的新时代，政治清明，四海承平，无论豪杰、庸常，皆能发奋图强，共同为实现中华民族伟大复兴的中国梦而奋斗不息。

13.11

孟子曰："附^[1]之以韩、魏之家，如其自视欿然^[2]，则过人远矣。"

Mencius said, "Add to a man the families of Han and Wei. If he then look upon himself without being elated, he is far beyond the mass of men."

【注释】[1]附：附益，增加。[2]欿（kǎn）然：不自满的样子。

【译文】孟子说："把春秋时期晋国之中韩、魏两家大夫的财富增加给他，如果他不因此而自满，那他就远远超出常人了。"

【解读】孔子曾言"不义而富且贵，于我如浮云"（《论语·述而》），显然孟子对这一思想有所继承、发扬。韩、魏是春秋时期晋

国的两大家族，家资无数，将这两大家族的
财富加之于一人之身，自然是荣贵无比。但
那些远超常人的贤士，却并不以此自满，而
是视盈若虚。这种不自满并非贪念作祟，而
是因为财富荣贵并不是他们的价值追求。他
们所追求的是仁义上的圆满，故《孟子注疏》
赵岐注曰："言人既自有家，复益以韩、魏
百乘之家，其富贵已美矣。而其人欿然不足，
自知仁义之道不足也，此则过人甚远矣。"
本章中孟子是要告诫我们，不要把财富作为
最终的追求，应该少一些"拜金"，多一些
道义上的追求。

13.12

孟子曰："以佚 [1] 道使民，虽劳不怨；以生道杀民，虽死不怨杀者。"

Mencius said, "Let the people be employed in the way which is intended to secure their ease, and though they be toiled, they will not murmur. Let them be put to death in the way which is intended to preserve their lives, and though they die, they will not murmur at him who puts them to death."

【注释】［1］佚（yì）：同"逸"。

【译文】孟子说："按照让百姓安逸的原则来役使民众，百姓即便辛劳也不怨恨；按照让百姓生存的原则去杀人，虽然有人死去，人们也不会怨恨杀的人。"

孟
子

【解读】本章孟子主要讲治民原则。安逸、闲适的生活是每个人都想获得的，但一个国家的发展离不开民众的辛劳付出。所以孟子认为，统治者应当坚持"以佚道使民"，即役使百姓的最终目的是为了让百姓得到安逸的生活。故而百姓虽感辛劳，但并不怨恨统治者。生存是人第一位的本能需求，但有时为了保存群体，必须去惩罚甚至杀掉一些作恶之人。但只要统治者是本着使民众生存的原则，人们便不会心生怨恨，因为这是"不得已而为其所当为"（朱熹《孟子集注》引程子语）。孟子通过这两项治民原则，来规劝统治者实行"佚道""生道"之仁政，把让民众安逸、生存作为施政旨归，并在此目的之下适当地役使和惩戒民众。这也启示我们不能只凭借表面行动而做出妄判，应当考察行动背后的目的是否正确。

13.13

孟子曰："霸者之民，驩虞^[1] 如也；王者之民，皥皥^[2] 如也。杀之而不怨，利之而不庸^[3]，民日迁善而不知为之者。夫君子所过者化，所存者神，上下与天地同流，岂曰小补之哉？"

Mencius said, "Under a chief, leading all the princes, the people look brisk and cheerful. Under a true sovereign, they have an air of deep contentment. Though he slay them, they do not murmur. When he benefits them, they do not think of his merit. From day to day they make progress towards what is good, without knowing who makes them do so. Wherever the superior man passes through, transformation follows; wherever he abides, his influence is of a spiritual nature. It flows abroad, above and beneath, like that of Heaven and Earth. How can it be said that he mends society but in a small way!"

【注释】［1］驩（huān）虞：同"欢娱"，欢乐。
［2］皞皞（hào）：心情舒畅，怡然自得之貌。
［3］庸：酬其功劳。

【译文】孟子说："霸主的民众欢乐，圣王的民众怡然自得。（圣王的百姓）即使被杀也不生怨恨，即使得到恩惠也不用酬谢谁，百姓一天天朝着善的方向发展，但不知道是谁教化着。君子所经过的地方，那里的民众就受到感化，君子所停留的地方，那里的民众就会有神奇的变化，君民上下与天地同流运行，难道说只是小小的补益吗？"

【解读】本章孟子论述"君子"功业之大。奉行"霸道"的统治者，多用财富爵位来激励百姓奋进，故而民情激奋欢娱，但这种以利驱人的办法总归不够牢靠。而圣人则以"王道"治理民众，如春风化雨，润物无声，彰明其自然之性。因而百姓怡然自得，虽杀不怨，虽利不庸，日复一日行于善道之上，却不知这一切由谁来推动。在孟子心中，真正的圣人君子，行的是"王道"，是无上的功业。所以君子经过、停留的地方，百姓会受到感化而产生神奇的变化，与天地顺流并行。朱熹《四书章句集注》曰："是其德业之盛，乃与天地之化同运并行，举一世而甄陶之，非如霸者但小小补塞其罅漏而已。此则王道之所以为大，而学者所当尽心也。"我们绝大多数人虽难达君子之业，但可沿先贤圣人之正道前行。

13.14

孟子曰："仁言，不如仁声之入人深也。善政，不如善教之得民也。善政民畏之，善教民爱之。善政得民财，善教得民心。"

Mencius said, "Kindly words do not enter so deeply into men as a reputation for kindness. Good government does not lay hold of the people so much as good instructions. Good government is feared by the people, while good instructions are loved by them. Good government gets the people's wealth, while good instructions get their hearts."

【译文】孟子说："仁德的言论比不上仁德的声誉深入人心，好的政令比不上好的教化能赢得民心。好的政令，民众敬畏它；好的教化，民众则是喜爱它。好的政令可以得到民众的财富，好的教化可以得到民心。"

【解读】本章主要讲感化百姓当用仁德之实。孟子做了两组比较，即"仁言"和"仁声"，"善政"和"善教"。"仁言"指的是仁厚之词，"仁声"指的是仁厚的声誉，朱熹《孟子集注》引程子曰："仁声，谓仁闻，谓有仁之实而为众所称道者也。"仁厚的言论固然好，但如果没有落到实处，百姓自然不会信服；而有仁厚的声誉，则说明其有"仁之实"，仁德落到实处，百姓自然会真心接受。"善政"指的是良好的法度政令，"善教"指的是良好的教化。"善政"，百姓则会因畏惧法令而规范自身行为；百姓富足，国君没有不富足的道理，故能"得民财"。"善教"，百姓便会真心爱戴他，故能"得民心"。仁言入耳，仁声入心；善政治其外，善教格其心。教化优于单纯的治政，因为仁德之实在于百姓内心的主动服膺。

13.15

孟子曰："人之所不学而能者，其良能[1]
也；所不虑而知者，其良知也。孩提之童无
不知爱其亲者，及其长也，无不知敬其兄也。
亲亲，仁也；敬长，义也。无他，达之天下也。"

Mencius said, "The ability possessed by men
without having been acquired by learning is intuitive
ability, and the knowledge possessed by them without
the exercise of thought is their intuitive knowledge.
Children carried in the arms all know to love their
parents, and when they are grown a little, they all know
to love their elder brothers. Filial affection for parents
is the working of benevolence. Respect for elders is the
working of righteousness. There is no other reason for
those feelings;—they belong to all under heaven."

【注释】［1］良能：天赋之能。

【译文】孟子说：“人不需要学习就能做的，是良能；不需要思考就能知道的，是良知。幼童没有不知道爱父母的，等到他长大之后，没有不知道尊敬兄长的。亲爱父母，是仁；尊敬兄长，是义；没有其他的缘故，因为仁义通达天下。”

【解读】本章主要论述人天性向善。在本章中，孟子首先提出了“良能”“良知”两个概念。因为此二者均为上天所赋予，所以不用学习便能做到（良能），不用思考便能知道（良知）。尚不懂事的孩童，知道爱自己的父母，稍长之后，也能尊敬他们的兄长，可见爱父母、尊兄长是人的“良能”“良知”。爱父母是仁，尊兄长是义，仁义并非后天所习得的，而是每个人与生俱来的，故而仁义能够通达天下。我们每个人都有向善和实行仁义的基础，只要不泯灭本性而将其发扬光大之，则人人皆可成尧舜。

13.16

孟子曰："舜之居深山之中，与木石居，与鹿豕[1]游，其所以异于深山之野人者几希[2]。及其闻一善言，见一善行，若决江河，沛然莫之能御也。"

Mencius said, "When Shun was living amid the deep retired mountains, dwelling with the trees and rocks, and wandering among the deer and swine, the difference between him and the rude inhabitants of those remote hills appeared very small. But when he heard a single good word, or saw a single good action, he was like a stream or a river bursting its banks, and flowing out in an irresistible flood."

【注释】［1］豕（shǐ）：猪。［2］几希：一丁点儿，很少。

【译文】孟子说:"舜居住在深山里,与草木、山石为伴,与麋鹿、野猪相处,和居住在深山之中不开化的百姓差别很小。可是等他听了一句善言,见了一种善行(就会立即照着去做),就像决了口的江河一般,澎湃之势没有谁能阻挡得住。"

【解读】本章仍旧在讨论人性向善的问题。不过,在此基础上,孟子也强调了外部条件的诱发、引导作用。舜在山林中居住,整天和草木野兽相处,在生活方式上与山野之人无二。但听说了善言、看到了善行,他内心的善性喷薄出来却能像江河一般浩瀚,无可阻挡。可见,善性是人之所以异于草木野人的与生俱来的特性,这无关乎个人所生活的条件;另一方面,要想充分扩充心中的善性,也需要外部"善言""善行"的诱发、引导。故朱熹《孟子集注》曰:"盖圣人之心,至虚至明,浑然之中,万理毕具。一有感触,则其应甚速,

而无所不通。非孟子造道之深，不能形容至
此也。"在生活中我们讲"善言"，做"善
行"，对于自身来说，是在扩充善性，对他
人来讲，又何尝不是一种启发？同时，别人
的"善言""善行"也将反过来激发、引导
我们心中的善性。一旦这种良性双向互动成
形成势，文明和谐社会便指日可待了。

13.17

孟子曰："无为其所不为，无欲其所不欲，如此而已矣。"

Mencius said, "Let a man not do what his own sense of righteousness tells him not to do, and let him not desire what his sense of righteousness tells him not to desire; —to act thus is all he has to do."

【译文】孟子说："不做自己不该做的，不奢望自己不该奢望的，这样就可以了。"

【解读】孟子告诫人们，要本本分分做人，踏踏实实做事，不要做那些不该做的事情，也莫想那些不该想的，总之是不贪图不属于自己的东西。只有每个人都安常守分，乐天知命，社会才能够井然有序而不至于混乱不堪。事实上，正确的追求都应该立足于现实，在

平凡的事业中创造不平凡的成就，而不是罔
顾自身实际条件去奢望高处。一个人只要在
某些领域尽心尽力将该做的事情做好，就足
以取得非凡的成果。

13.18

孟子曰："人之有德慧术知者，恒存乎疢疾^[1]。独孤臣孽子^[2]，其操心也危，其虑患也深，故达。"

Mencius said, "Men who are possessed of intelligent virtue and prudence in affairs will generally be found to have been in sickness and troubles. They are the friendless minister and concubine's son, who keep their hearts under a sense of peril, and use deep precautions against calamity. On this account they become distinguished for their intelligence."

【注释】[1]疢（chèn）疾：灾患。[2]孽子：古代常一夫多妻，非嫡妻所生之子称为庶子，也叫孽子，一般地位低于嫡子。

【译文】孟子说："人之所以有道德、智慧、能力、知识，常常是因为生活在患难中磨炼出来的。那些势单力薄的大臣、地位卑贱的庶子，操心危难，深虑祸患，所以能够明达事理。"

【解读】明智通达之人多生于磨难、忧患之中，正所谓"生于忧患，死于安乐"。孟子开篇点题，随后举了孤臣、孽子两类例证，因这两类人处于弱势困境，所以会常怀忧患之心，想尽办法摆脱困境、求得生存，故更有可能通达世间。这就告诉我们，逆境往往成为人们向上奋发的催化剂，当人被逼到绝境时，很有可能置之死地而后生，成就一番大业。若想成就一番伟大事业，一定会经历许多的磨难和痛苦，苦难过后方能明达事理，通晓仁义之大道，最后功成名就。苦难可以使人发奋，而安乐使人斗志松懈；逆境中求生，顺境中灭亡，这就是生活的哲学、人生的辩证法。

13.19

孟子曰："有事君人者，事是君则为容悦[1]者也。有安社稷臣者，以安社稷为悦者也。有天民[2]者，达可行于天下而后行之者也。有大人者，正己而物正者也。"

Mencius said, "There are persons who serve the prince; —they serve the prince, that is, for the sake of his countenance and favour. There are ministers who seek the tranquillity of the state, and find their pleasure in securing that tranquillity. There are those who are the people of Heaven. They, judging that, if they were in office, they could carry out their principles, throughout the kingdom, proceed so to carry them out. There are those who are great men. They rectify themselves and others are rectified."

【注释】［1］容悦：朱熹《四书章句集注》曰：

"阿殉以为容，逢迎以为悦。"［2］天民：指明乎天理、适乎天性的人。

【译文】孟子说："有侍奉君主的人，侍奉国君以曲意逢迎取悦于君主；有安定国家的臣子，以安定国家为快乐；有顺应天道的人，明白'道'能行之于天下，才去推行；有圣贤之人，先端正自己，然后使天下万物得到端正。"

【解读】这里举出了四类士人，即容悦事君者、以安社稷为悦者、天民和大人。第一类士人是境界最低的一类，他们尽力侍奉君主，一心只想求得君主欢心，以受到君王宠信为荣。第二类人则是高一级别的，他们以安邦定国为己任，即使与君主相悖也在所不惜。第三类人，则是参透天机之人，朱熹在《四书章句集注》中说"民者，无位之称，以其全尽天理，乃天之民，故谓之天民"，这种人依天理进退，不为一国一君服务。第四类人是最高级别的，无论有无官爵，他们都能为天下楷模，教化万物并使之回归天地、社会运行之正道，故《孟子注疏》录赵岐注曰："正己物正，象天不可言而万物化成也。"孟子言四类士人，在赞叹"大人"广大浩荡的同时，也是在激励后学勤奋自勉、升华自身。

13.20

　　孟子曰："君子有三乐，而王天下不与存焉。父母俱存，兄弟无故 [1]，一乐也。仰不愧于天，俯不怍 [2] 于人，二乐也。得天下英才而教育之，三乐也。君子有三乐，而王天下不与存焉。"

　　Mencius said, "The superior man has three things in which he delights, and to be ruler over the kingdom is not one of them. That his father and mother are both alive, and that the condition of his brothers affords no cause for anxiety; —this is one delight. That, when looking up, he has no occasion for shame before Heaven, and, below, he has no occasion to blush before men; —this is a second delight. That he can get from the whole kingdom the most talented individuals, and teach and nourish them; —this is the third delight. The superior man

has three things in which he delights, and to be ruler
over the kingdom is not one of them."

【注释】［1］故：事故，指灾祸。［2］怍（zuò）：
惭愧。

【译文】孟子说："君子有三大乐事，但统一天
下成为国君不包括在内。父母健在，兄弟平安，
这是第一大乐事；上无愧于天，下无愧于人，
这是第二大乐事；得到天下优秀的人才并对
他进行教育，这是第三大乐事。君子有这三
大乐事，但称王天下不在其中。"

【解读】本章阐述了"三乐"的具体所指：一
是父母健在，兄弟平安，上可奉养父母，下
可享兄友弟恭的天伦之乐；二是上无愧于天，
下无愧于人，心正无邪的修养之乐；三是传
承道业、教导天下优秀的人才，"为往圣继
绝学，为万世开太平"（张载《横渠语录》）

的教化之乐。在"三乐"之外，孟子还特别强调了称王天下并不是君子之乐。一统天下是每个霸主的梦想，却不在"君子三乐"之中，这是因为孟子主张的是仁政和德治的民本思想。为获得富贵利禄而大肆杀伐以称王天下，这并不符合儒家的仁义之道；而且古代儒者的理想是"为帝王师"，而非自践于帝王之位，所以"王天下"不在君子之乐中。孟子的这番话让我们明白君子的乐趣并非神秘莫测、高不可攀，而是蕴含在日常生活的人伦情理之中。

13.21

孟子曰："广土众民，君子欲之，所乐不存焉。中天下而立，定四海之民，君子乐之，所性不存焉。君子所性，虽大行 [1] 不加焉，虽穷居不损焉，分定故也。君子所性，仁义礼智根于心。其生色也，睟然 [2] 见于面，盎 [3] 于背，施于四体，四体不言而喻。"

Mencius said, "Wide territory and a numerous people are desired by the superior man, but what he delights in is not here. To stand in the centre of the kingdom, and tranquillize the people within the four seas; —the superior man delights in this, but the highest enjoyment of his nature is not here. What belongs by his nature to the superior man cannot be increased by the largeness of his sphere of action, nor diminished by his dwelling in poverty and retirement; —for this reason that it is determinately

apportioned to him by Heaven. What belongs by
his nature to the superior man are benevolence,
righteousness, propriety, and knowledge. These are
rooted in his heart; their growth and manifestation
are a mild harmony appearing in the countenance, a
rich fullness in the back, and the character imparted
to the four limbs. Those limbs understand to arrange
themselves, without being told."

【注释】[1]大行: 指主张行于天下。[2]睟（suì）
然: 温润的样子。 [3]盎: 充溢, 显露。

【译文】孟子说:"拥有广袤的土地、众多的百姓,
这是君子所期望的, 但是他的快乐不在于此;
立于天下中央, 安定四海百姓, 君子对此感
到快乐, 但是他的本性不在于此。君子的本
性, 即使（主张）大行于天下也不会因而有
所增加, 即使处于穷困也不会因而有所减损,
是由于君子的本分已经固定的缘故。君子的

本性，仁义礼智已然根植于心，从中生发的神色也温润顺和，呈现在脸上，充溢在背肩，延及于四肢，四肢不必言说便能够使人明白。"

【解读】孟子通过比较君子的"所欲""所乐""所性"，来说明君子内在的道德精神不会因为穷困或显达的处境而改变，以及真正的君子应该具备怎样的思想特征和道德品质。孟子指出：拥有广袤的土地、众多的百姓，是君子所期望的，但快乐并不在此；立于天下中央，安定四海百姓，是君子所快乐的，但本性并不在此。君子本性坚定，所以不会被所期望的和所快乐的事物损害本性，而君子的本性就是人们常说的仁义礼智；君子的这种本性贯通全身，处处皆能显明。孟子此番阐释告诉我们，君子的期望、快乐和本性三者相比之下，仁义礼智的本性尤为重要。这种内在的道德精神，能够使人超脱于物外，不被富贵、贫贱和武力所动摇。

13.22

　　孟子曰："伯夷 [1] 辟纣，居北海之滨，闻文王作兴，曰：'盍归乎来！吾闻西伯 [2] 善养老者。'太公辟纣，居东海之滨，闻文王作兴，曰：'盍归乎来！吾闻西伯善养老者。'天下有善养老，则仁人以为己归矣。五亩之宅，树墙下以桑，匹妇蚕之，则老者足以衣帛矣。五母鸡，二母彘，无失其时，老者足以无失肉矣。百亩之田，匹夫耕之，八口之家足以无饥矣。所谓西伯善养老者，制其田里，教之树畜，导其妻子，使养其老。五十非帛不暖，七十非肉不饱。不暖不饱，谓之冻馁。文王之民，无冻馁之老者，此之谓也。"

Mencius said, "Boyi, that he might avoid Zhou, was dwelling on the coast of the northern sea when he heard of the rise of king Wen. He roused himself and said, 'Why should I not go and follow him? I have heard that the chief of the West knows well how to nourish the old.' Taigong, to avoid Zhou, was dwelling on the coast of the eastern sea. When he heard of the rise of king Wen, he said, 'Why should I not go and follow him? I have heard that the chief if the West knows well how to nourish the old.' If there were a prince in the kingdom, who knew well how to nourish the old, all men of virtue would feel that he was the proper object for them to gather to. Around the homestead with its five *mu*, the space beneath the walls was planted with mulberry trees, with which the women nourished silkworms, and thus the old were able to have silk to wear. Each family had five brood hens and two brood sows, which were kept to their breeding seasons, and thus the old were able to have flesh to eat. The husbandmen cultivated their farms of 100 *mu*, and thus their families of eight mouths were secured against want. The expression, 'The chief of the West knows well how to nourish the old,' refers to his regulation of the fields and dwellings, his teaching them to plant the mulberry and nourish those animals, and his instructing the wives and children, so as to make them nourish their aged. At fifty, warmth cannot be maintained without silks, and at seventy flesh is necessary to satisfy the appetite. Persons not kept warm nor supplied with food are said to be starved and famished, but among the people of king Wen, there were no aged who were starved or famished. This is the meaning of the expression in question."

【注释】［1］伯夷：商末孤竹国君主亚微的长子，事迹见载于《史记·伯夷列传》。［2］西伯：指周文王。周文王在商朝的爵位为伯，且为西方诸侯之长，所以称西伯。

【译文】孟子说："伯夷躲避商纣王，居住在北海边，听说周文王兴起，说：'何不归附西伯呢？我听说他善于奉养老人。'姜太公躲避商纣王，隐居在东海边上，听说周文王兴起，说：'何不归附西伯呢？我听说他善于奉养老人。'天下有善于奉养老人的，仁人便把他作为自己的归宿。五亩的住宅，在墙下种上桑树，妇女靠它养蚕，老年人就能穿上丝帛衣服了。五只母鸡，两头母猪，不错过繁殖期，老年人就不会缺肉吃了。百亩农田，男人去耕种，八口人的家庭就不会挨饿了。所谓的西伯善于奉养老人，就是指他制定了土地制度，教育百姓种植桑田，畜养牲畜，引导百姓的妻子儿女奉养老人。五十岁的人，不穿丝帛就不暖；七十岁的人，没有肉吃就不饱。不暖不饱，就是受冻挨饿。周文王的百姓没有受冻挨饿的老人，说的就是这个情况。"

【解读】这一章通过对周文王奉养老人政策的颂扬，劝说各国诸侯效法周文王，奉养老者、关注民生、推行仁政。养老问题，是每一个社会、每一个时代，都需要面临的问题。在孟子看来，养老最优先解决的当是经济问题，只有拥有了良好的物质基础，老者才可不受冻馁之苦。老人得到赡养，孝悌之道自会盛行，仁人志士也必定前来归附，如此国家强盛可计日程功。孟子此番话，包含着浓重的人道主义关怀，是其仁政主张与儒家孝悌思想的延伸，对于我们解决当今所面临的养老问题具有启发意义。

13.23

孟子曰：“易其田畴 [1]，薄其税敛，民可使富也。食之以时，用之以礼，财不可胜用也。民非水火不生活，昏暮叩人之门户求水火，无弗与者，至足矣。圣人治天下，使有菽粟 [2] 如水火。菽粟如水火，而民焉有不仁者乎？”

Mencius said, "Let it be seen to that their fields of grain and hemp are well cultivated, and make the taxes on them light; —so the people may be made rich. Let it be seen to that the people use their resources of food seasonably, and expend their wealth only on the prescribed ceremonies; —so their wealth will be more than can be consumed. The people cannot live without water and fire, yet if you knock at a man's door in the dusk of the evening, and ask for water and fire, there is no man who will not give them, such is the abundance of these things. A sage governs the kingdom so as to cause pulse and grain to be as abundant as water and fire. When pulse and grain are as abundant as water and fire, how shall the people be other than virtuous?"

【注释】［1］易：治，芟治草木。田畴：田地。
［2］菽（shū）：豆类。粟：谷类。

【译文】孟子说："治理好田地，减轻税收，就可以使老百姓富足。按时饮食，按规矩消费，财物就用不完。老百姓离开了水与火就不能够生活，当有人黄昏傍晚敲别人的门借水与火的时候，没有人不给，这是为什么呢？因为水火都很充足。圣人治理天下，使百姓的粮食像水与火一样充足。粮食像水与火一样充足了，老百姓哪有不仁爱的呢？"

【解读】本章主要阐释物质文明建设的基础性。

孟子思想的本质是让天下人行仁向善，而实现这个目标，必须有物质基础作为保障，故圣贤之人治理国家的首要目标就是使百姓富足。若想让百姓富足，这三个方面是不可或缺的：一是"易其田畴"，即治理好田产；二是"薄其税赋"，即减轻税收、留富于民；三是"食之以时，用之以礼"，教导百姓学会节俭，按时饮食，按规矩消费，树立良好的消费观念。如此财富才会取之不尽，"菽粟如水火"的目标才能得以实现。如果粮食多的像水源与火种那样充足，百姓自然而然就变得仁慈起来，精神文明建设自然也会水到渠成，这正如《管子·牧民》所讲的"仓廪实而知礼节，衣食足而知荣辱"。

13.24

孟子曰："孔子登东山[1]而小鲁，登太山[2]而小天下。故观于海者难为水，游于圣人之门者难为言。观水有术，必观其澜。日月有明，容光[3]必照焉。流水之为物也，不盈科[4]不行；君子之志于道也，不成章[5]不达。"

Mencius said, "Confucius ascended the eastern hill, and Lu appeared to him small. He ascended the Tai mountain, and all beneath the heavens appeared to him small. So he who has contemplated the sea, finds it difficult to think anything of other waters, and he who has wandered in the gate of the sage, finds it difficult to think anything of the words of others. There is an art in the contemplation of water. —It is necessary to look at it as foaming in waves. The sun and moon being possessed of brilliancy, their light admitted even through an orifice

孔子登泰山　吴泽浩　绘

illuminates. Flowing water is a thing which does not proceed till it has filled the hollows in its course. The student who has set his mind on the doctrines of the sage, does not advance to them but by completing one lesson after another."

【注释】［1］东山：鲁国东部的高山，即蒙山。［2］太山：泰山。［3］容光：容得下光线，指非常细小的缝隙。［4］科：通"窠"，坎，坑。［5］成章：指事物达到一定阶段或有一定规模。

【译文】孟子说："孔子登上了东山，就觉得鲁国变小了；登上泰山，就觉得整个天下都变小了。所以，观看过大海的人，便难以被其他水所吸引了；在圣人门下学习过的人，便难以被其他言论所吸引了。观看水有一定的方法，一定要观看它壮阔的波澜。日月有光辉，只要容得下光线的小缝隙也一定能被照到；流水这东西，不把坑坑洼洼填满不向前流；

君子立志于道，不到一定的程度不可能通达。"

【解读】本章通过一系列具有深刻寓意的事例来揭示"志于道"者当追求"成章"。山的高低决定了视野中事物的大小，尽管高低、大小都是相对而言的，但站位决定着视野，所以要追求更高的平台以获得更宽广的视野，正所谓"会当凌绝顶，一览众山小"（杜甫《望岳》）。而海是最多的水，圣人是至高的人，此二者都达到了"成章"的极致，所以领略过其风采的人便不再思慕其他。观水必观澜，因为波澜是水"成章"后所展现出的风采。同时，流水和日月之光又都不舍细微之处，照遍大地，填满坑洼，这告诫我们做事既要从宏观之处着眼，也要向细微之处探寻。朱熹《孟子集注》评曰："圣人之道，大而有本，学之者必以其渐，乃能至也。"凡为学者，应当立志高远，同时打好基础，循序渐进，如此方能有所"成章"，并最终实现达道。

13.25

孟子曰："鸡鸣而起，孳孳 [1] 为善者，舜之徒也。鸡鸣而起，孳孳为利者，蹠 [2] 之徒也。欲知舜与蹠之分，无他，利与善之间 [3] 也。"

Mencius said, "He who rises at cock-crowing and addresses himself earnestly to the practice of virtue, is a disciple of Shun. He who rises at cock-crowing, and addresses himself earnestly to the pursuit of gain, is a disciple of Zhi. If you want to know what separates Shun from Zhi, it is simply this: —the interval between the thought of gain and the thought of virtue."

【注释】[1] 孳孳（zī）：同"孜孜"，勤勉不懈。[2] 蹠（zhí）：同"跖"，相传为柳下惠的弟弟，春秋时的大盗，又称"盗跖"。[3] 间（jiàn）：差异。

【译文】孟子说："鸡叫就起床，孜孜不倦地行善的人，是舜一类的人物；鸡叫就起床，孜孜不倦地求利的人，是盗跖一类的人。要想知道舜和盗跖的区别，没有别的，利和善的不同罢了。"

【解读】本章是孟子对于"君子喻于义，小人喻于利"（《论语·里仁》）这一观点的深入解读，指出了舜这类人与盗跖这类人的区别在于行善与求利，进而劝诫人们以义为利、以善为利。鸡叫就起床，可以说是非常早了，如果终日行善，那必然会受到社会的赞扬；而鸡叫就起床，做的全是为了获取私利的事情，虽不能立刻成为盗贼流寇，但终究也会丧失德行、为人所唾弃。同样都是鸡鸣而起，结果却有如此大的差别，可见，成圣成恶全在乎一念之间。孟子以此劝勉众人，当勤勉行善，沐仁浴义，追寻圣贤之道。

13.26

孟子曰："杨子 [1] 取为我，拔一毛而利天下，不为也。墨子兼爱 [2]，摩顶放踵 [3] 利天下，为之。子莫 [4] 执中，执中为近之。执中无权，犹执一也。所恶执一者，为其贼道也，举一而废百也。"

Mencius said, "The principle of the philosopher Yang was 'Each one for himself.' Though he might have benefited the whole kingdom by plucking out a single hair, he would not have done it. The philosopher Mo loves all equally. If by rubbing smooth his whole body from the crown to the heel, he could have benefited the kingdom, he would have done it. Zimo holds a medium between these. By holding that medium, he is nearer the right. But by holding it without leaving room for the exigency of circumstances, it becomes like their holding their one point. The reason why I hate that holding to one point is the injury it does to the way of right principle. It takes up one point and disregards a hundred others."

【注释】［1］杨子：名朱，魏国人，战国初期哲学家。他的学说曾一度在战国时代盛行。他重视个人利益，反对别人侵损自己，但也反对去侵损别人。［2］墨子：名翟（dí），鲁国人，一说为宋国人，春秋战国之际的思想家、政治家，墨家学派的创始人。兼爱：墨子提倡的一种伦理学说，主张爱无差等，不分亲疏厚薄。［3］摩顶放踵（zhǒng）：摩秃了头顶，走破了脚跟。形容不辞辛劳，舍己为人。［4］子莫：战国时鲁国贤人。

【译文】孟子说："杨朱主张为自己，即使拔一根汗毛而有利于天下，也不肯去干。墨子主张兼爱，即便是从头顶到脚跟都摩伤，只

要是对天下有利，他都肯干。子莫则坚持中
道，坚持中道就接近正确了。但是，坚持中
道而不知变通，那还是执着于一点。之所以
厌恶执着于一点，是因为它损害了中正之道，
抓住了一点而废弃了其他很多方面。"

【解读】本章孟子批判了朱、墨两家学说，并
以此来阐发儒家的中庸思想。杨朱主张为我，
拔一根汗毛而有利于天下的事也不肯干，走
向了极端的利己主义，是为乏仁；墨子主张
兼爱，为了天下可以牺牲自我，这种高尚的
利他主义精神很可贵，但不懂得区别亲疏，
所以很难在天下推广实行。道之所贵在于
"中"，杨朱为我，是不及，墨子兼爱，是为过，
过犹不及，二者的思想主张都不能体现"中
庸"之道，都有失偏颇。子莫的思想介于杨、
墨两人之间，孟子对子莫的主张有赞同之处。
孟子认为子莫的"执中"与"中庸"之道十
分相近，但也有不足之处，"执中"之道缺

乏灵活权变，不懂得变通。孟子主张坚持仁义之道而又通权达变，不固执己见，具有一定辩证色彩。

13.27

孟子曰："饥者甘食，渴者甘饮，是未得饮食之正也，饥渴害之也。岂惟口腹有饥渴之害？人心亦皆有害。人能无以饥渴之害为心害，则不及人不为忧矣。"

Mencius said, "The hungry think any food sweet, and the thirsty think the same of any drink, and thus they do not get the right taste of what they eat and drink. The hunger and thirst, in fact, injure their palate. And is it only the mouth and belly which are injured by hunger and thirst? Men's minds are also injured by them. If a man can prevent the evils of hunger and thirst from being any evils to his mind, he need not have any sorrow about not being equal to other men."

【译文】孟子说："饥饿的人觉得任何食物都美味，口渴的人觉得任何饮品都甘甜，这并未得到饮食的正常味道，是因为过于饥渴损害了正常的感觉。难道人只有嘴巴与肚子会因饥渴而受正常味道的损害？人心也同样会受到不得其正的损害。一个人能够不把饥渴之类的损害变为对心的损害，那么即使自己一时比不上别人，也不足忧虑。"

【解读】本章的中心句是"无以饥渴之害为心害"，孟子从"饥渴之害"说起，最终落脚在"心害"上，说明了养心的重要性。口腹为饥渴所害，便会饥不择食、渴不择饮，为的只是消却"饥"与"渴"，而丧失了对食物、饮品原有味道的感觉；而一旦心失去了正理，那么任何事情都是可能做的，很难固执善道、坚持原则。孟子在此说"人能无以饥渴之害为心害"，是要劝诫人们时刻严格要求自己，时时拂拭自己的内心，不要被物欲所遮蔽；

心守正理，人行正道，必能不断进步、提高，终有所成，所以一时不如别人，也就不足为虑了。

13.28

孟子曰："柳下惠不以三公^[1]易其介^[2]。"

Mencius said, "Hui of Liuxia would not for the three highest offices of state have changed his firm purpose of life."

【注释】［1］三公：是先秦时期地位最尊显的三个官职的合称。指"司马、司徒、司空"，有时也指"太师、太傅、太保"，这里代指高官厚禄。［2］介：耿介高洁的性格、节操。

【译文】孟子说："柳下惠不会因为做了高官而改变他的操守。"

【解读】柳下惠是春秋时期的鲁国贤人，除了在《孟子》中有记载外，《论语》《国语》《诗经》中均有关于柳下惠的记载。人们熟知他是因为"坐怀不乱"的典故（柳下惠将受冻的女子裹于怀中，没有做任何出格的事情）。柳下惠的品德，历来为世人所称道，孟子称其为"圣之和者"（《孟子·万章下》）。在孟子心中，柳下惠是极具操守的君子，即使身居三公高位，也难以易其本心。今天提倡的不忘初心，正需要这种品质。只有这样，才可无愧于心，无愧于天地，无论走多远，都不会忘记当初为什么出发。

13.29

孟子曰："有为者辟若[1]掘井，掘井九轫[2]而不及泉，犹为弃井也。"

Mencius said, "A man with definite aims to be accomplished may be compared to one digging a well. To dig the well to a depth of seventy-two cubits, and stop without reaching the spring, is after all throwing away the well."

【注释】［1］辟若：譬如。［2］轫：同"仞"，古代量词，古代七尺为一仞，亦说八尺为一仞。

【译文】孟子说："做事情好比挖井，挖到很深的地方还没有挖到泉水，仍然是一口废井。"

【解读】孟子通过掘井的例子来说明事情成败的关键在于抓住本质并加以坚持。判断井的价值，不在于其挖得有多深，而在于其是否挖到了泉水，如果没有挖到水，即便挖了很深，那么它也是一口废井。所以做事情不要使用蛮力，不要追求表象而好大喜功，而要抓住问题的实质，并针对这一实质加以努力。当然，抓住实质也要坚持，如果能坚持往下再挖一些，或许就可以挖到水了。《诗经·大雅·荡》有言："靡不有初，鲜克有终。"能做到善始善终的人，实在太少了。孟子用巧妙的比喻告诫人们，欲求有为，当有洞察事物本质的慧心和坚持到底的恒心。

13.30

孟子曰："尧、舜，性之也；汤武，身之也；五霸，假之也。久假而不归，恶^[1]知其非有也？"

Mencius said, "Benevolence and righteousness were natural to Yao and Shun. Tang and Wu made them their own. The five chiefs of the princes feigned them. Having borrowed them long and not returned them, how could it be known they did not own them?"

【注释】［1］恶（wū）：疑问代词，相当于"何""怎么"。

【译文】孟子说："尧、舜推行仁道，这是天性使然；汤、武推行仁道，是身体力行；春秋五霸假借仁道，推行霸道。长久地假借而不归还，怎么知道他们本来是没有仁道的呢？"

【解读】孟子以尧舜、汤武、五霸推行仁义为例，论述当时社会存在的一些政治、道德问题，同时从侧面反映了孟子的"性善论"。尧舜、汤武、五霸虽然都推行仁义，但是他们的出发点是不同的。尧舜乃本性使然，是最高的一个层次；商汤和武王是为民而躬行仁义，低了一个层次；而五霸是假借仁义之名来壮大自身力量，又低了一个层次。在这里，从上古圣王到殷周开国之君，再到春秋五霸，统治者的觉悟是呈一个下降趋势的，这虽然受到了儒家"是古非今"思想的影响，但同时也体现出儒家的社会变革主张。如何变呢？就是要行先王之道。但孟子又提出："久假而不归，恶知其非有也？"虽然当时春秋五霸假借着仁义之名，但是时间长了，这种假借也就不是完全的假借了，而有可能会内化为其心中的一部分。这里可以看出孟子对当时的统治阶级是抱有很大希望的，虽不能真像先王一样，但通过假借方式来实行仁义，进而内化于心，也是可以的。

13.31

公孙丑曰："伊尹曰：'予不狎于不顺[1]。'放太甲[2]于桐，民大悦。太甲贤。又反之，民大悦。贤者之为人臣也，其君不贤，则固可放与？"

孟子曰："有伊尹之志[3]则可；无伊尹之志则篡也。"

Gongsun Chou said, "Yi Yin said, 'I cannot be near and see him so disobedient to reason,' and therewith he banished Tai Jia to Tong. The people were much pleased. When Tai Jia became virtuous, he brought him back, and the people were again much pleased. When worthies are ministers, may they indeed banish their sovereigns in this way when they are not virtuous?"

Mencius replied, "If they have the same purpose as Yi Yin, they may. If they have not the same purpose, it would be usurpation."

【注释】[1]狎（xiá）：亲近而态度不庄重。顺：顺乎仁义的人。[2]太甲：商代帝王，成汤孙。[3]志：意向。

【译文】公孙丑说："伊尹说：'我不亲近那些不顺从仁义的人。'于是将太甲放逐到桐邑，百姓非常高兴。太甲变得贤明了，又迎他回来，百姓仍旧非常高兴。贤明的人为臣子，他的君主昏庸，就可以放逐他吗？"

孟子说："如果有像伊尹那样的意向，可以；如果没有像伊尹那样的意向，就是篡权。"

【解读】本章通过孟子与公孙丑关于伊尹放逐太甲典故的讨论，体现出孟子对于为政者的看法。伊尹是一代贤相，历事成汤、外丙、仲壬、太甲、沃丁五代君主，辅政五十余年。

到太甲的时候，太甲身为国君，却做出无道之事，破坏祖宗法度。伊尹屡次规劝而太甲仍是执迷不悟，屡教不改，在这种情况下，伊尹将太甲放逐。三年之后，太甲改过自新，伊尹又归政于太甲。针对这件事情，公孙丑问孟子，伊尹身为人臣，放逐君主的这种做法究竟合不合礼数。孟子的回答并没有将君位放在绝对高度，而是肯定了伊尹的做法，但同时强调"无伊尹之志则篡也"。在孟子看来，伊尹无论是放逐太甲，还是迎回太甲，都是出于公心，整个过程没有半点非分之想，始终恪守臣子的本分，因此伊尹的行为是没有问题的。而对于那些为私利而放逐君王的人，则属于篡位的范畴。天下是天下人的天下，为政者的所作所为当出于公心，如此才能得到民众的支持和拥护。

13.32

公孙丑曰："《诗》曰'不素餐兮'^[1]，君子之不耕而食，何也？"

孟子曰："君子居是国也，其君用之，则安富尊荣；其子弟从之，则孝弟忠信。'不素餐兮'，孰大于是？"

Gongsun Chou said, "It is said, in the *Book of Poetry*, 'He will not eat the bread of idleness!' How is it that we see superior men eating without labouring?"

Mencius replied, "When a superior man resides in a country, if its sovereign employ his counsels, he comes to tranquillity, wealth and glory. If the young in it follow his instructions, they become filial, obedient to their elders, true-hearted, and faithful. What greater example can there be than this of not eating the bread of idleness?"

【注释】［1］不素餐兮：取自《诗经·魏风·伐檀》。素餐，白吃饭。

【译文】公孙丑说："《诗》说'不白吃饭啊'，君子不耕种却有粮食吃，这是为何？"

孟子说："君子居住在这个国家，君主任用他，则能安定、富足、尊贵、荣耀；弟子们跟从他学习，则能孝敬父母，敬顺兄长，忠诚守信。'不白吃饭啊'，有什么能比这功劳更大呢？"

【解读】在本章中，公孙丑通过《诗经》中"不素餐兮"，对"君子不耕而食"提出了疑问，农家学派就主张"贤者与民并耕而食"（《孟子·滕文公上》）。而孟子巧妙地解答了弟子的这一疑问。孟子认为君子上可以辅佐君主兴邦治国，下可使弟子敬老爱幼、和顺家庭，由此二者，足见君子不是白吃饭，况且兴邦治国、教化百姓要比耕地生产更重要。孟子此番话可谓"一石三鸟"：第一，巧妙恰切地回答了公孙丑对于"君子不耕而食"的质疑；第二，从两个方面阐释了贤人君子对于国家的重要性；第三，孟子并不把农业作为谋食的唯一职业，这也肯定了社会分工存在的合理性。当今的国际竞争，归根到底是人才的较量，所以一个国家要想兴旺发达，就要重视各类人才的培养。同时，社会中存在分工是必然的，每个工种都有其存在的意义，我们每个人都应当干好本职工作，不做尸位素餐之人，如此社会才能有序地向前发展。

13.33

王子垫 [1] 问曰："士何事？"

孟子曰："尚志。"

曰："何谓尚志？"

曰："仁义而已矣。杀一无罪，非仁也；非其有而取之，非义也。居恶在？仁是也；路恶在？义是也。居仁由义，大人 [2] 之事备矣。"

The king's son, Dian, asked Mencius, saying, "What is the business of the unemployed scholar?"

Mencius replied, "To exalt his aim."

Dian asked again, "What do you mean by exalting the aim?"

The answer was, "Setting it simply on benevolence and righteousness. He thinks how to put a single innocent person to death is contrary to benevolence; how to take what one has not a right to is contrary to righteousness; that one's dwelling should be benevolence; and one's path should be righteousness. Where else should he dwell? What other path should he pursue? When benevolence is the dwelling-place of the heart, and righteousness the path of the life, the business of a great man is complete."

【注释】［1］王子垫：齐王的儿子，名垫。［2］大人：指德行高尚、志趣高远的人。《孟子·告子上》："从其大体为大人，从其小体为小人。"

【译文】王子垫问："士应当做何事？"

孟子说："让自己的志向高尚。"

（王子垫）说："什么叫使自己的志向高尚？"

（孟子）说："行仁义罢了。杀掉一个无罪之人，就是不仁；不是自己的东西而强行取之，就是不义。该住的地方在哪里？仁就是；该行的道路在哪里？义就是。能居住

于仁从而行为遵从道义，德高志大之人该做
的事就完备了。"

【解读】在本章中，孟子阐释了士阶层所追求的
人生事业。士人阶层是中国古代一个具有特殊
意义的阶层，在春秋战国时期，士人阶层兴起，
在各国变法图强的过程中发挥了重要作用。王
子垫问士的终生事业，孟子认为士人的终身事
业当是"尚志"，也就是使自己的志向高尚，
而志向高尚的根本就是"居仁由义"。不杀无
罪之人，不取非分之财，所居所由，皆是仁义，
如此方能达到"尚志"。即便在遭遇困厄之时，
仍能保有这种仁义之心，故"诗圣"杜甫在穷
困之际，还能发出"安得广厦千万间，大庇天
下寒士俱欢颜"（《茅屋为秋风所破歌》）的
呐喊。在当今社会中依然可见众多以"仁义"
作为人生信条的人，可见孟子提倡的这种士人
担当精神，贯通了中华民族整个历史脉络，已
经深深熔铸在中华儿女的血液之中。

13.34

孟子曰："仲子[1]，不义与之齐国而弗受，人皆信之，是舍箪[2] 食豆羹之义也。人莫大焉亡亲戚、君臣、上下。以其小者信其大者，奚可哉？"

Mencius said, "Supposing that the kingdom of Qi were offered, contrary to righteousness, to Chen Zhong, he would not receive it, and all people believe in him, as a man of the highest worth. But this is only the righteousness which declines a dish of rice or a plate of soup. A man can have no greater crimes than to disown his parents and relatives, and the relations of sovereign and minister, superiors and inferiors. How can it be allowed to give a man credit for the great excellences because he possesses a small one?"

【注释】[1]仲子：即陈仲子，孟子弟子。[2]
箪（dān）：盛饭用的圆形竹编器具。

【译文】孟子说："仲子，如果不符合道义地
将齐国送给他，他是不会接受的，人们都相
信这一点，不过这只是舍弃一小筐饭、一碗
汤的小义。人的罪过没有比抛弃父兄、君臣、
上下关系更大的了。因为他小的道义，而相
信他有大的道义，怎么可以呢？"

【解读】本章通过对陈仲子的批评，表现了孟
子对于人伦情理的重视。陈仲子的事迹还见
于《孟子·滕文公下》《荀子》《战国策》等，
这些书中对他的评价都是否定的。陈仲子的
祖先是陈国公室，后避难到齐国，这个时候，
陈仲子的兄长食禄万钟，他认为这是不义之
财，故离弃其母、其兄，隐居山中。齐人奉
之为廉洁之士，故人们认为即使将齐国送给
他，他也不会接受。但在孟子看来这只是小

的道义，而陈仲子却因为这点小的道义而抛弃了更大的道义——父兄君臣关系。陈仲子为了追求那点小的道义而隐居深山，对母亲不能尽奉养孝道，对兄长抛弃了手足之情，对国君背离了君臣之义，所以在孟子看来，这是不可取的。

13.35

桃应[1]问曰：“舜为天子，皋陶为士[2]，瞽瞍[3]杀人，则如之何？”

孟子曰：“执之而已矣。”

“然则舜不禁与？”

曰：“夫舜恶得而禁之？夫有所受之也。”

“然则舜如之何？”

曰：“舜视弃天下犹弃敝蹝[4]也。窃负而逃，遵海滨而处，终身䜣[5]然，乐而忘天下。”

Tao Ying asked, saying, "Shun being sovereign, and Gaoyao chief minister of justice, if Gusou had murdered a man, what would have been done in the case?"

Mencius said, "Gaoyao would simply have apprehended him."

"But would not Shun have forbidden such a thing?"

"Indeed, how could Shun have forbidden it? Gaoyao had received the law from a proper source."

"In that case what would Shun have done?"

"Shun would have regarded abandoning the kingdom as throwing away a worn out sandal. He would privately have taken his father on his back, and retired into concealment, living somewhere along the seacoast. There he would have been all his life, cheerful and happy, forgetting the kingdom."

【注释】［１］桃应：孟子的弟子。［２］皋陶（gāo yáo）：舜臣。士：掌管刑狱的官。［３］瞽瞍（gǔ sǒu）：舜的父亲。［４］敝蹝（xǐ）：破旧鞋子。［５］䜣（xīn）：同"欣"。

【译文】桃应问："舜做天子，皋陶做法官，假如瞽瞍杀了人，该怎么办呢？"

孟子说："将他抓起来罢了。"

（桃应问：）"那么舜不阻拦吗？"

（孟子）说："舜哪里能够阻拦呢？皋陶是按所受职责办事。"

（桃应问：）"那么舜应当怎样做才好？"

（孟子）说："舜把抛弃天下看作抛弃破旧鞋子一样。私下背着父亲逃走，沿着海边住下来，终身快乐，快乐得忘了天下。"

【解读】本章通过对话阐释了孟子关于当人伦情理与法理冲突时应当如何进退的主张。舜是传说中的五帝之一，但他的父亲瞽瞍却是一个十分不通情理的人，瞽瞍曾受他小儿子的蛊惑，多次设计谋害大儿子舜。舜虽屡遭不公的对待，但始终孝敬如初。这一章中弟子桃应设置了一个道德两难的假设：瞽瞍杀人了，法官皋陶依法把他抓了起来，那么此时作为天子的舜应该怎么办？孟子的回答，包含了两个方面，首先，皋陶的做法是完全正确的。瞽瞍虽为天子之父，一旦触法，即使舜也不能为其求情、阻拦，这就肯定了司法公正的不容侵犯性。但是如果任由瞽瞍被杀，那舜岂不是成了不孝之人？故孟子又讲出了另一方面，即舜应当舍弃天下，携瞽瞍逃到海滨，尽人子之孝。孟子认为，当面临情理与法理冲突时，不可枉法，然而亦不可任由法理去侵占情理，必须兼顾人伦情理，这才是处理这类矛盾的可行方式。当然，孟子的这种认识也有其局限性：瞽瞍杀了人，舜帝岂能私下背父而逃罪？岂不弱化了法律？岂不损伤了舜帝以治天下为己任的圣王形象？

13.36

　　孟子自范[1]之齐，望见齐王之子，喟然叹曰："居移气[2]，养移体，大哉居乎！夫非尽人之子与？"

　　孟子曰："王子宫室、车马、衣服多与人同，而王子若彼者，其居使之然也；况居天下之广居[3]者乎？鲁君之宋，呼于垤泽之门[4]。守者曰：'此非吾君也，何其声之似我君也？'此无他，居相似也。"

Mencius, going from Fan to Qi, saw the king of Qi's son at a distance, and said with a deep sigh, "One's position alters the air, just as the nurture affects the body. Great is the influence of position! Are we not all men's sons in this respect?"

Mencius said, "The residence, the carriages and horses, and the dress of the king's son, are mostly the same as those of other men. That he looks so is occasioned by his position. How much more should a peculiar air distinguish him whose position is in the wide house of the world! When the prince of Lu went to Song, he called out at the Dieze gate, and the keeper said, 'This is not our prince. How is it that his voice is so like that of our prince?' This was occasioned by nothing but the correspondence of their positions."

【注释】［1］范：范邑。［2］居移气：是说所处地位、环境能改变人的素质、气度。［3］广居：宽大的居所，孟子以"广居"指"仁"。［4］垤（dié）泽之门：宋国的城门。

【译文】孟子从范邑到齐国，远远看见齐王的儿子器宇轩昂，长叹一声，说道："所居环境改变人的气质，奉养改变人的体质，环境真是重要啊！不都是人的儿子吗？"

孟子说："王子的宫殿、车马、衣服

大多与他人相同，而王子却那样与众不同，
是居住的环境使他如此；何况是居住在仁
德环境中呢？鲁国国君到宋国去，在宋国
城门下喊门。守门的人说：'这个人并非
我们君王，为什么他的声音这么像我们的
君王？'这没有其他原因，居住的环境相
似罢了。"

【解读】本章论述环境对人的影响作用。孟子
通过望齐王之子和鲁国国君到宋国这两个典
例，说明一个人所处的环境对个人发展的重
要性。孟子虽强调人本性向善，但并不否定
环境对个人发展的影响。齐王之子能器宇轩
昂，鲁国国君与宋君谈吐相似，无非是后天
环境对他们的塑造，故朱熹《孟子集注》曰：
"言人之居处，所系甚大。"人之初本质都
是相同的，但长大成人后性情、气质、谈吐
却各不相同，可见不同生活环境会对人产生
不同的影响。我们知晓了环境对人的影响作

用，那就应该尽可能进入好的环境而避开有害环境，国家就应该致力于营造优良的社会环境而改造不良环境。

13.37

孟子曰："食^[1]而弗爱，豕交之^[2]也；爱而不敬，兽畜之也。恭敬者，币^[3]之未将者也。恭敬而无实，君子不可虚拘^[4]。"

Mencius said, "To feed a scholar and not love him, is to treat him as a pig. To love him and not respect him, is to keep him as a domestic animal. Honouring and respecting are what exist before any offering of gifts. If there be honouring and respecting without the reality of them, a superior man may not be retained by such empty demonstrations."

【注释】［1］食：动词，使之食，引申为奉养、养活。［2］豕交之：用对待猪的方式和他交往。［3］币：指礼物。［4］虚拘：拘于虚礼。拘：止，留。

【译文】孟子说："只是养活而不爱，那是用对待猪的方式和他交往；只是爱而不恭敬，那是用对待牲口的方式畜养他。恭敬之心，应当在礼物没送之前就具备的。表面恭敬而没有实质，君子不可以被这种虚礼拘束住。"

【解读】本章是孟子对当时各国诸侯虚伪的爱才行为的批判。战国时，诸侯为博取尚贤之名，广收贤士，以厚币重礼待之。这看似对士人极尽尊荣，但他们并不采纳士人的建议，更不要说让士人一展抱负。孟子犀利地将这种行为比作圈养牲畜，并指出真正的尚贤爱士应具有恭敬之心。当然，不仅尊贤如此，对我们大部分人来说，侍奉父母、待人接物更要讲求"恭敬"二字。在当代社会，存在着这样一些情况，有人给予了父母优越的生活条件，便以为孝心得以展现；有人给予了朋友小恩小惠，便以为友情真正收获。诸如此类的行为便是孟子所说的，如同圈养牲畜般的"恭敬而无实"。如何才是真正的恭敬？孟子也给出了解答，那便是不能局限于虚假的礼节，不能止步于物质的满足。中国作为礼仪之邦，种种礼节下蕴含的实质是人与人真挚的情意，如若抛却了人情，礼仪则沦落为虚假的空壳。因此，物质的满足不过是恭敬的外在表现，将真挚情意留存、传递，才是真正的"恭敬"。

13.38

孟子曰："形色^[1]，天性也；惟圣人，然后可以践形^[2]。"

Mencius said, "The bodily organs with their functions belong to our Heaven-conferred nature. But a man must be a sage before he can satisfy the design of his bodily organization."

【注释】〔1〕形色：形体与容貌。〔2〕践形：体现天赋的品质。

【译文】孟子说："人的形体与容貌是天生的，只有圣人才可以充分展现天赋的品质。"

【解读】本章讲后天修养对人的重要性。在孟子看来，人之形色皆为天性所赐，虽各有所不同，但都具有自然之理，不过只有圣人能够令其充分彰显。这是因为圣人常以仁义礼智浸润、陶冶自己，久而久之，仁义礼智便会贯通全身，并通过形色自然流露。故朱熹《孟子集注》曰："人之有形有色，无不各有自然之理，所谓天性也。践，如践言之践。盖众人有是形，而不能尽其理，故无以践其形；惟圣人有是形，而又能尽其理，然后可以践其形而无歉也。"在日常生活中，许多人追求精致的外表，但若不注重内在修养，一旦与人交流，则粗浅即刻显露；而真正具有修养的人，即便外貌平庸，却如宝藏般使人惊喜不断，如经典般令人常读常新。

13.39

齐宣王欲短丧。公孙丑曰："为期[1]之丧，犹愈于已乎？"

孟子曰："是犹或绐[2]其兄之臂，子谓之姑徐徐云尔，亦教之孝弟而已矣。"

王子有其母死者，其傅为之请数月之丧。公孙丑曰："若此者，何如也？"

曰："是欲终之而不可得也。虽加一日愈于已，谓夫莫之禁而弗为者也。"

The king Xuan of Qi wanted to shorten the period of mourning. Gongsun Chou said, "To have one whole year's mourning is better than doing away with it altogether."

Mencius said, "That is just as if there were one twisting the arm of his elder brother, and you were merely to say to him—'Gently, gently, if you please.' Your only course should be to teach such an one filial piety and fraternal duty."

At that time, the mother of one of the king's sons had died, and his tutor asked for him that he might be allowed to observe a few months' mourning. Gongsun Chou asked, "What do you say of this?"

Mencius replied, "This is a case where the party wishes to complete the whole period, but finds it impossible to do so. The addition of even a single day is better than not mourning at all. I spoke of the case where there was no hindrance, and the party neglected the thing itself."

【注释】［1］期（jī）：丧服制度，指服丧一年。
［2］紾（zhěn）：扭。

【译文】齐宣王想要缩短守丧时间。公孙丑说："服丧一年，总比停止守丧要好吧？"

　　孟子说："这就好比有人去扭他哥哥的

胳膊,你却对他说,姑且慢慢扭吧。还是应该教育他孝敬父母、敬顺兄长,不让他扭哥哥的胳膊。"

有个王子的生母死了,他的师父替他请求守几个月的丧。公孙丑说:"像这样,该怎么办?"

(孟子)说:"王子这是想要守孝三年而不能办到。即使多服丧一天,也总比不服丧要好,这是针对那些没有人禁止便不愿守丧的人讲的。"

【解读】本章体现了孟子对于古礼的态度,即强调礼制的内在精神,同时讲求实用,不反对因情形所迫而精简礼制形式的做法。对于齐宣王无故要缩短守丧时间的做法,孟子是坚决反对的;王子因形势所迫,难以为其母守丧三年,这种情况下的减丧,孟子并不反对。孟子能够有此灵活变通的思想,是战国时期社会的急剧变革所造成的。在孔子所生活的春秋时期，社会虽已出现了"礼崩乐坏"
的趋势，但总体不似战国时期那样剧烈，因
而孔子对于周礼仍有一种温情，希望以恢复
周礼的方式纠正社会秩序。而到了孟子所生
活的战国时期，社会变革愈演愈烈，兼并战
争时有发生，在如此激荡的社会背景下，孟
子的思想也就不似孔子那样保守温和，进取
变革的精神相对增加。制度是体现思想、情
理的一种外在表现形式，失去制度，思想、
情理自然也就无所凭借，而僵于形式则会戕
害实质，故应当坚持原则性与灵活性的统一，
这就是孟子的辩证法。

13.40

孟子曰："君子之所以教者五：有如时雨化之者，有成德者，有达财[1]者，有答问者，有私淑艾[2]者。此五者，君子之所以教也。"

Mencius said, "There are five ways in which the superior man effects his teaching. There are some on whom his influence descends like seasonable rain. There are some whose virtue he perfects, and some of whose talents he assists the development. There are some whose inquiries he answers. There are some who privately cultivate and correct themselves. These five ways are the methods in which the superior man effects his teaching."

【注释】[1]财：通"才"。[2]私淑艾：焦循《孟子正义》解曰："私淑艾者，即私拾取也。亲为门徒，面相授受，直也。未得为孔子之徒，

而拾取于相传之人，故为私。"淑：通"叔"，
拾取，获益。艾（yì）：同"刈"，割取。

【译文】孟子说："君子教育人的方法有五种：
有像及时雨那样滋润万物的，有成全德行的，
有培养才能的，有解答疑问的，还有以自身
学识风范感化后人私下学习收获的。这五种，
便是君子教育人的方法。"

【解读】本章是孟子对自己教育主张的论述。"因
材施教"是儒家一以贯之的教育理念，《论
语·先进》中便记载了孔子对子路与冉有所
提相同问题作出不同回答的事例，充分体现
了孔子将具体问题具体分析的思维运用到教
育实践当中。孟子继承并发展孔子的这种理
念，系统阐述了五种教育方法。"时雨化之"，
即启发式教学法，当学生对问题的探究进行
到一定程度，距离答案仅一步之遥而难以突
破时，则需要老师对其稍加点拨，《论语·述

君子教育人有五法　卢冰　绘

而》中的"不愤不启，不悱不发"，与此有
异曲同工之妙。"成德"，则是对学生进行
品德教育。儒家教育主张中一向注重个人品
德，因此在教授学生知识技能之时更注重道
德品质的培养。"达财"，即为"达才"，
培养通达之才的意思，学生对于各类知识要
广泛涉猎，方可成就通达境界。"答问"，
便是要针对性地回答学生所提问题，引导学
生进行思考，按照提出问题、分析问题、解
决问题的程序，使学生在探究过程中得到提
高，而反对填鸭式的灌输。"私淑艾"，朱
熹《孟子集注》曰："人或不能及门受业，
但闻君子之道于人，而窃以善治其身。"这
是要求无缘亲炙者，要善于间接地主动自学，
私下获取圣贤君子的道德学问。孟子所提出
的这五种教育方法，对我们当下的教育体制
改革仍具有深刻的启示。

13.41

公孙丑曰："道则高矣，美矣，宜若登天然，似不可及也。何不使彼为可几及 [1] 而日孳孳也？"

孟子曰："大匠不为拙工改废绳墨，羿不为拙射变其彀率 [2]。君子引而不发，跃如也。中道而立，能者从之。"

Gongsun Chou said, "Lofty are your principles and admirable, but to learn them may well be likened to ascending the heavens, — something which cannot be reached. Why not adapt your teaching so as to cause learners to consider them attainable, and so daily exert themselves!"

Mencius said, "A great artificer does not, for the sake of a stupid workman, alter or do away with the marking line. Yi did not, for the sake of a stupid archer, charge his rule for drawing the bow. The superior man draws the bow, but does not discharge the arrow, having seemed to leap with it to the mark; and he there stands exactly in the middle of the path. Those who are able, follow him."

【注释】[1] 几及：达到。[2] 彀率（gòu lǜ）：拉开弓的标准。

【译文】公孙丑说："道很崇高，很完美，但追求它好像登天一般，似乎不可能达到。为什么不让它变得可以达到，从而使人每天不懈地追求它呢？"

孟子说："高明的工匠不会因为拙劣的工人而改变或者废弃规矩，后羿也不会因为拙劣的射手而改变拉弓的标准。君子张满了弓而不发箭，做出跃跃欲试的样子。他立足于恰到好处的地方，有能力学习的人便会跟着他做。"

【解读】本章涉及"道"的标准问题。"道"作为宇宙万物运行发展的普遍规律，是中华文化的一种终极追求，但这样一种追求太过崇高而难以企及，故公孙丑提出降低"道"的标准的建议。面对这种看法，孟子坚决反对，这不仅是因为"道"作为普遍规律的客观性，更因为其作为终极追求，若轻易降低标准则是对追求的亵渎。那么"道"真的是难以企及的吗？孟子认为不是，并在此基础上提出了"中道"的概念，即"道"所处的标准就好似张弓而未射箭的状态。这种状态处于一种恰到好处的境界，而这一境界有能力的人是能够企及的；即便没有能力，经过一定的学习、思考、提升，亦能逐渐向这一境界靠近。因此，求道并非少数人的特权，人人皆可近于道。当然，求道也绝非易事，我们能做的便是时刻努力，不断地充实、提高自我。

13.42

孟子曰："天下有道，以道殉身；天下无道，以身殉道；未闻以道殉乎人者也。"

Mencius said, "When right principles prevail throughout the kingdom, one's principles must appear along with one's person. When right principles disappear from the kingdom, one's person must vanish along with one's principles. I have not heard of one's principles being dependent for their manifestation on other men."

【译文】孟子说："天下政治清明，道义随身彰显；天下政治黑暗，用性命来捍卫道义；没有听过牺牲道义而屈从俗人的。"

【解读】本章同样论及"道"。前文提到"道"是中华文化的一种终极追求，既然是追求，自然带有一定的理想色彩，因而"道"如果体现在国家和社会层面，便是一种理想的有序状态，即政治清明，百姓安居，文教兴盛。对于先秦儒家及后世的士大夫阶层来说，讲求气节与社会责任感是其共有的一种特质，也是中华民族内在的优良品质。在这种社会责任感的推动之下，儒者对"道"的求索也就蕴含着对社会理想秩序的追求，并且不仅在认识层面，更是在实践层面以这一理想改造着社会，即所谓"弘道"。在社会处于有序状态下，这种理想是相对彰显的，而如果社会走向失序，便要尽全力去恢复原有的理想，即便付出生命的代价也在所不惜，这便是所谓的"以身殉道"。中华五千年的文明史，有多少次民族面临生死存亡之时，正是依赖无数秉持着"以身殉道"精神的仁人志士，我们的民族才能一次次化险为夷，走向复兴。这一精神是中华民族讲求气节与社会责任感的最显著体现，这一精神直至今日依旧熠熠生辉。

13.43

公都子曰："滕更[1]之在门也，若在所礼。而不答，何也？"

孟子曰："挟[2]贵而问，挟贤而问，挟长而问，挟有勋劳而问，挟故而问，皆所不答也。滕更有二焉。"

The disciple Gongdu said, "When Geng of Teng made his appearance in your school, it seemed proper that a polite consideration should be paid to him, and yet you did not answer him. Why was that?"

Mencius replied, "I do not answer him who questions me presuming on his nobility, nor him who presumes on his talents, nor him who presumes on his age, nor him who presumes on services performed to me, nor him who presumes on old acquaintance. Two of those things were chargeable on Geng of Teng."

【注释】[1]滕更:滕国君主之弟,曾向孟子求学。[2]挟:倚仗。

【译文】公都子说:"滕更在您门下求学,好像应该以礼相待,但是您却不解答他的问题,这是为什么?"

孟子说:"倚仗自己地位高贵来发问,倚仗自己贤能来发问,倚仗自己年长来发问,倚仗自己有功劳来发问,倚仗有老交情来发问,都是我所不愿回答的。滕更就占了其中两条。"

【解读】尊师重道是中华民族的优良传统。韩愈《师说》中说:"师者,所以传道受业解惑也。"老师与求学之人所求之"道"是密不可分的,"道"是我们所看重的,传道之人又有何不敬之理?那么应当如何尊师呢?在孟子看来,最基本的便是不能有所倚仗。不论是倚仗自己的地位、才学、年纪、功劳,或是与被请教者的交情，皆非尊师之举。原因有二：一是有所倚仗便是有傲气充盈，不能虚心求教；二是求教目的不纯，表面求学而实质轻视学问，这是对学问的亵渎，在这种状态下绝难成就真学问。滕更便是在求教时倚仗了自己的地位及才能，所以并未得到孟子的解答。实际上，孟子这番话对老师和学生都做出了要求，作为师者应当维护自己的权威，守护师道尊严；对于学生来说，要想请教学问，便不当有所倚仗，要虚心、尊敬以待。

13.44

孟子曰："于不可已而已者，无所不已；于所厚者薄，无所不薄也。其进锐者，其退速。"

Mencius said, "He who stops short where stopping is acknowledged to be not allowable, will stop short in everything. He who behaves shabbily to those whom he ought to treat well, will behave shabbily to all. He who advances with precipitation will retire with speed."

【译文】孟子说："对于不该停止的事情却停止了，（在他眼里）世上没有什么事情是不能停止的；对于应当厚待的人却刻薄，（在他眼中）没有人不能薄待。那些前进迅猛的人，后退的速度也很快。"

【解读】孟子所强调的是"原则"。一个人如果对不该停止的事情却停止了，对应当厚待的人却刻薄，那他便丧失了原则，这种丧失了原则的人无所不为、无恶不作。一个社会应当有规矩，这样人与人之间才能融洽、和谐；一个人当有原则和底线，这样才能有所为而有所不为。社会没了规矩便会变得混乱，人如果没有原则就会变得可怕，因为你永远不知道他下一刻会做出什么。没有原则的人最有可能临阵倒戈，虽然他前进起来很迅猛，但丧失了原则，后退起来也很快。丧失了原则的人，能力越大反而危害越大。所以评判一个人，不只要看能力大小，更要看他是否能够坚持原则。

13.45

孟子曰："君子之于物也，爱之而弗仁；于民也，仁之而弗亲。亲亲而仁民，仁民而爱物。"

Mencius said, "In regard to inferior creatures, the superior man is kind to them, but not loving. In regard to people gererally, he is loving to them, but not affectionate. He is affectionate to his parents, and lovingly disposed to people generally. He is lovingly disposed to people generally, and kind to creatures."

【译文】孟子说："君子对于万物，爱惜它却不仁爱；对于百姓，仁爱他们却不像对待亲人那样亲近他们。亲爱亲人，从而仁爱百姓；仁爱百姓，从而爱惜万物。"

【解读】孟子面对不同的对象，将仁爱分为三个等级：亲爱亲人，仁爱百姓，爱惜万物。父母兄弟作为自己关系最近的亲人，对于他们要"亲爱"；对待百姓则要"仁爱"；对待万物则要爱惜。对于不同的对象施以不同类型和程度的关爱，这是有别于墨子"兼爱"思想的一种存在等级差别的爱。孟子认为"兼爱"泯灭了亲疏尊卑而反对它，他主张从自身出发根据关系紧密度和重要性发出特定的爱。但不同类型的爱并非毫不相干，而是可以相互连接的，且存在一定逻辑层级。亲爱亲人之心为根本，由内而外地拓展到仁爱百姓之心，由近及远地扩充为爱护万物之心，三者共同融汇成一派仁爱景象。读懂孟子的爱、仁、亲，对于指导我们处理人我关系、物我关系具有重要意义。

亲亲而仁民，仁民而爱物　杨文森　绘

13.46

孟子曰："知者无不知也，当务之为急；
仁者无不爱也，急亲贤之为务。尧、舜之知
而不遍物，急先务也；尧、舜之仁不遍爱人，
急亲贤也。不能三年之丧，而缌小功之察[1]；
放饭流歠[2]，而问无齿决[3]，是之谓不知务。"

Mencius said, "The wise embrace all
knowledge, but they are most earnest about what
is of the greatest importance. The benevolent
embrace all in their love, but what they consider of
the greatest importance is to cultivate an earnest
affection for the virtuous. Even the wisdom of Yao
and Shun did not extend to everything, but they
attended earnestly to what was important. Their
benevolence did not show itself in acts of kindness to
every man, but they earnestly cultivated an affection
for the virtuous. Not to be able to keep the three

years' mourning, and to be very particular about that of three months, or that of five months; to eat immoderately and swill down the soup, and at the same time to inquire about the precept not to tear the meat with the teeth; -such things show what I call an ignorance of what is most important."

【注释】[1]缌(sī)：古代丧服之一，五服（斩衰、齐衰、大功、小功、缌麻）中最轻的一服，服丧三个月。小功：服丧五个月。察：考察，讲求。[2]放饭流歠（chuò）：大吃猛喝。放饭：放肆无礼地大吃大嚼。歠：饮，啜。[3]问无齿决：问，讲求；齿决，用牙齿啃，这里指用牙啃干肉。

【译文】孟子说："智者是无所不知的，要急于知道当前应当做的；仁者是无所不爱的，先要爱亲人、贤人。尧、舜的智慧不能遍知所有的事物，是因为急于洞察眼前的事情；尧、

舜的仁德不能遍爱所有的人，是因为他们急
于先爱亲人、贤人。如果不能服三年丧礼，
却讲求缌麻、小功这样的丧礼；在长者面前
大吃大喝，不顾礼节，却讲求不用牙齿啃断
干肉，这就是不识大体。"

【解读】本章主要讲处理事情要分清轻重缓急、
顾全大局。孟子举尧舜，以强调圣贤懂得把
握事物的主要矛盾。智者之所以为智者，是
因为他们知道当前最应该做的；仁者之所以
为仁者，是因为他们知道要先爱亲人、贤人。
随后孟子又聚焦到常人的生活中，对两种不
识大体、耽于小节的行为进行批评。孟子以
此告诫人们，凡事当知轻重缓急，识其大体，
抓其关键，如此才能事事有序，正如《大学》
中所讲："物有本末，事有终始，知所先后，
则近道矣。"

尽心下

14.1

孟子曰："不仁哉，梁惠王也！仁者以其所爱及其所不爱，不仁者以其所不爱及其所爱。"

公孙丑曰："何谓也？"

"梁惠王以土地之故，糜烂[1] 其民而战之，大败，将复之，恐不能胜，故驱其所爱子弟以殉之，是之谓以其所不爱及其所爱也。"

Mencius said, "The opposite indeed of benevolent was the king Hui of Liang! The benevolent, beginning with what they care for, proceed to what they do not care for. Those who are the opposite of benevolent, beginning with what they do not care for, proceed to what they care for."

Gongsun Chou said, "What do you mean?"

Mencius answered, "The king Hui of Liang, for the matter of territory, tore and destroyed his people, leading them to battle. Sustaining a great defeat, he would engage again, and afraid lest they should not be able to secure the victory, urged his son whom he loved till he sacrificed him with them. This is what I call 'beginning with what they do not care for, and proceeding to what they care for.' "

【注释】 [1] 糜烂：毁伤，摧残。

【译文】孟子说："梁惠王真不仁啊！仁人把他对所爱事物的那种仁德推及他所不爱的事物身上，不仁者把他对所不爱事物的那种祸害推及他所爱的事物身上。"

公孙丑问："这是怎么说呀？"

（孟子答：）"梁惠王因为土地的缘故，摧残百姓使他们去打仗，大败后准备再打，担心不能取胜，所以又驱使他所爱的子弟去为他送死，这就叫把他对所不爱事物的那种祸害推及他所爱的事物身上。"

【解读】本章孟子通过对梁惠王行为的批判，来表达他的仁政思想。首先孟子直言不讳地揭示梁惠王的不仁本质，同时总述了他对仁者与不仁者的看法。在孟子心中，仁者是要将恩德从他所爱的人推及他所不爱的人身上，而不仁者反其道而行。百姓和子弟相对于土地更应该是统治者的所爱，而梁惠王穷兵黩武，好大喜功，驱使百姓为他争夺土地，这是对本国民众的残害。战争失败之后，为了报复敌国，又不惜让自己所爱的近亲子弟替他作战，为他送死，恰好与仁者所应做的事情相反。孟子希望统治者实行仁政，爱护百姓，爱惜民力，不应当以民众作为满足欲望、扩大政绩的资本。那些像梁惠王一样倒行逆施的不仁者，最终将会吞下自己所酿的苦果。

14.2

孟子曰："春秋无义战。彼善于此，则有之矣。征者，上伐下也，敌国^[1]不相征也。"

Mencius said, "In the *Spring and Autumn* there are no righteous wars. Instances indeed there are of one war better than another. 'Correction' is when the supreme authority punishes its subjects by force of arms. Hostile states do not correct one another."

【注释】［1］敌国：同等的诸侯国。敌：匹敌，相当。

【译文】孟子说："春秋时代没有合乎正义的战争。那一国或许比这一国要好一点，这样的情况倒是有的。所谓征，是指天子讨伐诸侯，地位相等的国家之间是不能够相互征讨的。"

【解读】本章主要批评春秋时代诸侯国之间的争霸战争，其中体现了孟子的政治观与历史观。朱熹曰："征，所以正人也。诸侯有罪，则天子讨而正之。"（《四书章句集注》）在礼制之中，"征"是"上伐下也"，是天子才享有的权力，同等级别的诸侯国之间没有"征"的权力。可现实情况却是强盛的诸侯国打着"尊王"的旗号，为了自己的利益，四处征伐，最终导致礼制崩坏，周天子大权旁落，故孟子断言："春秋无义战。"孟子对战争正义性判断的标准以礼制为准绳，而我们今天的判断则以"侵略"为标准（侵略战争是非正义的，反侵略战争则是正义的），所以用我们今天的观点来看，"春秋"并非"无义战"，因为有一些战争属于防卫战性质。但如果放在历史语境下，我们发现当时的诸侯国多取"霸道"治国，而孟子主张实行的是仁政，用"王道"治国，反对以战称霸，故孟子这番话从另一个角度阐述了自己的政治观点。

14.3

孟子曰："尽信《书》，则不如无《书》。吾于《武成》[1]，取二三策[2]而已矣。仁人无敌于天下，以至仁伐至不仁，而何其血之流杵[3]也？"

Mencius said, "It would be better to be without the *Book of History* than to give entire credit to it. In the *Completion of the War*, I select two or three passages only, which I believe. 'The benevolent man has no enemy under heaven. When the prince the most benevolent was engaged against him who was the most the opposite, how could the blood of the people have flowed till it floated the pestles of the mortars?"

【注释】[1]《武成》：《尚书》的篇名。现存《武成》篇是伪古文。[2]策：竹简。[3]杵（chǔ）：

舂米或捶衣的木棒。

【译文】孟子说："完全相信《书》，还不如没有《书》。我对于《武成》篇，不过取其中的二三策罢了。仁人天下无敌，以极仁的周武王讨伐极不仁的商纣王，怎么至于鲜血流得可以漂起木棒呢？"

【解读】《尚书》是儒家五经之一，《武成》是其中一篇，记载了周武王带兵伐纣的历史，原本已经失传，现存为伪古文。孟子断言《尚书》中的内容不可尽信，随后他以《武成》篇为例进行说明。孟子读《武成》时，看到"血之流杵"一言时，对此产生了怀疑；在孟子的观念背景下，仁者天下无敌，所以周武王讨伐商纣的过程应当很顺利，不至于会激战到血流成河的地步。由此可见，孟子读《尚书》是带着批判、怀疑的眼光来读的。武王伐纣是否打到血流成河我们尚且不论，但这种批判、质疑的精神却是值得我们学习的。我们常说"开卷有益"，强调读书的益处，但如果事事都相信书中的话，久而久之，必然会落入窠臼。因此，我们读书时，应当带着怀疑和批判精神，如此才能避免陷入教条，进而提出自己的独特见解。

14.4

孟子曰："有人曰：'我善为陈^[1]，我善为战。'大罪也。国君好仁，天下无敌焉。南面而征北狄怨，东面而征西夷怨，曰：'奚为后我？'武王之伐殷也，革车三百两，虎贲^[2]三千人。王曰：'无畏！宁尔也，非敌百姓也。'若崩厥角稽首^[3]。征之为言正也，各欲正己也，焉用战？"

Mencius said, "There are men who say 'I am skilful at marshalling troops, I am skilful at conducting a battle!' They are great criminals. If the ruler of a state love benevolence, he will have no enemy in the kingdom. When Tang was executing his work of correction in the south, the rude tribes on the north murmured. When he was executing it in the east, the rude tribes on the west murmured. Their cry was 'Why does he make us last?' When king Wu punished Yin, he had only three hundred chariots of war, and three thousand life-guards. The king said, 'Do not fear. Let me give you repose. I am no enemy to the people!' On this, they bowed their heads to the earth, like the horns of animals falling off. 'Royal correction' is but another word for rectifying. Each state wishing itself to be corrected, what need is there for fighting?"

【注释】［1］陈：同"阵"。［2］虎贲（bēn）：勇士，武士。［3］若崩：像山崩。厥角：额角叩地。稽（qǐ）首：跪下磕头，叩头至地。

【译文】孟子说："有人说：'我善于布阵，我善于打仗。'这是大罪恶。国君爱好仁，就会天下无敌。征伐南方，北方的民族就埋怨；征伐东方，西方的民族就埋怨。埋怨说：'为什么把我们放在后边？'武王讨伐殷商，有战车三百辆、勇士三千人。武王向殷商的百姓说：'不要害怕，我们是来安抚你们的，不是来同百姓为敌的。'殷商的百姓都跪倒叩头，额角碰地的声音，像山岩崩塌一般。征的意思就是正，如果各国国君都想端正自己，哪还用得着打仗？"

【解读】 儒家主张仁爱，极力反对"争霸"的不义之战，所以孟子认为那些主战之人是有大罪的。赵岐《孟子注疏》亦曰："此人欲劝诸侯以攻战也，故谓之有罪。"只有那些喜好仁德，实行仁政的国君，才是真正的天下无敌。这类有仁德的君主，能够获得天下民众的诚心归附，所以成汤南征、东讨之时，北狄和西夷民众埋怨成汤为何不率先解放他们；这也就是为什么周武王只凭借很少的兵力，便可打败商纣王。这类君主并不是完全摒弃战争，但他们发起的战争不是为了私欲的"争霸"战争，而是为了拯救黎民。如果各国国君都想着端正自身，那么战争与杀戮怎么还会存在呢？本章孟子通过成汤、周武王的例子，劝诫当时的统治者应行仁义之政，如此才能得天下民心，才能无敌于天下，正所谓"仁者无敌"；同时也反映出孟子追求和平，反对不义战争的一面。

14.5

孟子曰："梓匠轮舆[1] 能与人规矩，不能使人巧。"

Mencius said, "A carpenter or a carriage-maker may give a man the circle and square, but cannot make him skilful in the use of them."

【注释】［1］梓匠：木工。轮舆：轮人和舆人，造车的工匠。

【译文】孟子说："木工与造车匠只能传授给人制作的规矩法则，但不能够使别人心灵手巧。"

【解读】在木工与造车行业内，都存在一定的规矩与法度，正所谓"没有规矩，不成方圆"。这些规矩、法度是可以通过老师傅传授给徒弟的，但是师傅却不能让徒弟变得心灵手巧。
这是因为初级阶段所学的东西是可以通过言
传示范习得的，而一旦进入高级阶段，就需
要学习者自己不断练习和体悟，也就是我们
常说的"师傅领进门，修行看个人"。学习
也好，工作也罢，在初级阶段，需要一些老
师、前辈给我们一些指点，但要想臻于化境，
则需要我们发挥主观能动性，勤于实践，积
累经验，从中领悟出"巧"。

14.6

孟子曰："舜之饭糗茹[1] 草也，若将终身焉；及其为天子也，被袗衣，鼓琴，二女果[2]，若固有之。"

Mencius said, "Shun's manner of eating his parched grain and herbs was as if he were to be doing so all his life. When he became sovereign, and had the embroidered robes to wear, the lute to play, and the two daughters of Yao to wait on him, he was as if those things belonged to him as a matter of course."

【注释】[1]饭：动词，吃。糗（qiǔ）：干粮。茹（rú）：动词，吃。[2]果：通"婐"（wǒ），侍候。

【译文】孟子说："舜在啃干粮吃野菜的时候，

就像打算终身如此似的；到他做了天子，穿
着细葛布衣服，弹着琴，尧的两个女儿侍候着，
又像本来就拥有这种生活似的。"

【解读】本章主要讲至仁至善者，心性有定，
不为外物所扰。在未做天子之前，吃野草，
啃干粮，舜以之为常；做天子之后，虽穿上
华丽的衣服，有二女相伴，舜仍以之为常。
这是因为，舜始终坚守向善本心，以仁义自
持，以至宠辱不惊。故朱熹道："言圣人之心，
不以贫贱而有慕于外，不以富贵而有动于中，
随遇而安，无预于己，所性分定故也。"（《四
书章句集注》）人当有所坚守，稳固心性，
如此才能在浮躁世间追寻本真自我。

14.7

　　孟子曰："吾今而后知杀人亲之重也：杀人之父，人亦杀其父；杀人之兄，人亦杀其兄。然则非自杀之也，一间 [1] 耳。"

Mencius said, "From this time forth I know the heavy consequences of killing a man's near relations. When a man kills another's father, that other will kill his father; when a man kills another's elder brother, that other will kill his elder brother. So he does not himself indeed do the act, but there is only an interval between him and it."

【注释】［1］一间：指相距很近。

【译文】孟子说："我现在才知道杀害别人亲人的严重性：杀了别人的父亲，别人也会杀他的父亲；杀了别人的哥哥，别人也会杀他

的哥哥。虽然不是他自己杀了自己的父亲和
哥哥，但也差不多。"

【解读】在古代，父亲与兄长在人伦关系中，
是主要的方面，而杀父之仇、杀兄之仇对于
个人来说是必报之仇，所谓"父之雠弗与共
戴天，兄弟之雠不反兵，交游之雠不同国"
（《礼记·曲礼上》）。就是说，对杀父仇人，
做儿子的不能与他在同一个天下活着，必须
拼死报仇；对杀害兄弟的仇人，不能发现了
再返回去拿兵器，要随身携带兵器，随时准
备报仇；对杀害朋友的仇人，不能在同一个
国家生活，如果他不逃到别国去，遇见即杀之，
为朋友报仇。所以当一个人杀害了别人的父
兄之后，别人也会杀其父兄，以报父兄之仇；
虽然不是自己亲手杀的父兄，但终究是因自
己杀人父兄在前，所以与自己杀自己的父兄
几乎等同。孟子大概是听说或者经历了这类
事情，所以才有此感慨。这也从反面论证了

人与人之间保持仁爱的重要性，正所谓"爱人者，人恒爱之；敬人者，人恒敬之"（《孟子·离娄下》）。需要注意，《礼记》中所说的那种做法，要正确理解其时代局限性：在古代，法制不健全，很多受害人往往无处申冤，迫不得已，只能自报私仇。

14.8

孟子曰："古之为关也，将以御暴；今之为关也，将以为暴。"

Mencius said, "Anciently, the establishment of the frontier-gates was to guard against violence. Nowadays, it is to exercise violence."

【译文】孟子说："古时候设立关卡，是为了抵御暴行；而现在设立关卡，却是为了施行暴行。"

【解读】本章孟子主要批判战国诸侯的暴政行为。"关"是隔绝空间的一道屏障，古时候君主设置关隘，是为了保护文明不受强盗、外敌的侵袭；而到了孟子所生活的战国时代，诸侯却利用屏障，搜刮民脂民膏，以满足自己骄奢淫逸的生活。关隘本来是抵制外来残暴的，如今反而成为诸侯施展残暴的凭借，前后的转变，让孟子愤慨万分，所以发出了如此强烈的感叹。孟子此叹既表明了当时政治之残暴，也重申了其仁政主张之必要性。

14.9

孟子曰："身不行道，不行于妻子；使人不以道，不能行于妻子。"

Mencius said, "If a man himself do not walk in the right path, it will not be walked in even by his wife and children. If he order men according to what is not the right way, he will not be able to get the obedience of even his wife and children."

【译文】孟子说："自己不行正道，正道在他妻子、儿女那里也行不通；不按正道去使唤人，那就连妻子、儿女也使唤不动。"

【解读】本章强调个人的表率作用，同时也隐含了儒家的知行观。孟子认为，一个人如果自己不行正道，不按正道去使唤别人，即便是对于自己的妻子、儿女也行不通，也使唤不动。妻子、儿女尚且不遵从，何谈要推及他人，推及天下呢？故赵岐曰："身不自履行道德，而欲使人行道德，虽妻子不肯行之。"（《孟子注疏》）本章告诫我们要想推行正道，就必须以身作则，坚持正道；只有自己做到了才具有说服力，别人才会学习、跟从。

14.10

孟子曰："周^[1]于利者，凶年不能杀^[2]；周于德者，邪世不能乱。"

Mencius said, "A bad year cannot prove the cause of death to him whose stores of gain are large; an age of corruption cannot confound him whose equipment of virtue is complete."

【注释】［1］周：富足。［2］杀：缺乏，困窘。

【译文】孟子说："富于财利的人，荒年不能使他困窘；富于道德的人，乱世不能使他迷乱。"

【解读】富于财利的人，身有余财，所以即便是荒年，他也能安然无恙，不落困境之中；而富于道德的人，心性坚定，行合道义，所以在乱世之中，也能找到自己的方向，不会同常人一般随波逐流。孟子之所以说出这番话，是希望人们能够讲求道德，坚守良知，如此才不会被繁杂诡谲的世间乱象所迷惑。

14.11

孟子曰："好名之人，能让千乘之国；
苟非其人，箪食豆羹见于色。"

Mencius said, "A man who loves fame may be
able to decline a state of a thousand chariots; but if
he be not really the man to do such a thing, it will
appear in his countenance, in the matter of a dish of
rice or a platter of soup."

【译文】孟子说："喜好名声的人，能让出千
辆兵车的大国；如果不是这样的人，就是让
出一筐饭、一碗汤，不高兴的神色也会在脸
上显出。"

【解读】本章意旨有两层：其一，为人当实心
实德，当守道德之"诚"；其二，观人当从
细微之处入手，也就是朱子所说的"观人不

于其所勉，而于其所忽"（《四书章句集注》）。

首先，第一层：那些喜好名声的人，会为了自己的名声而放弃一个强盛的国家，这是因为他们对自己名声的喜爱胜于对财富权势的喜爱，比如当时燕国国君姬哙曾将君位让给国相；但那些对财富权势的喜爱超过对名声的喜爱的人，即便是让他们让出一筐饭、一碗汤，他们也会面露不快。其次，第二层：观察、评价一个人，要从细节入手，有时通过不经意的一个举动，便可观其实（如上文，通过让出一小筐饭、一碗汤时脸色的表现，便可得知他是不是真正的好名之人），也就是我们常说的"见微知著"。孟子在本章中所阐发的两层意思，前一层对内（自我修养），后一层对外（与人相处），这对指导我们如何为人处世具有深刻的启示意义。

14.12

孟子曰："不信仁贤，则国空虚。无礼义，则上下乱。无政事，则财用不足。"

Mencius said, "If men of virtue and ability be not confided in, a state will become empty and void. Without the rules of propriety and distinctions of right, the high and the low will be thrown into confusion. Without the great principles of government and their various business, there will not be wealth sufficient for the expenditure."

【译文】孟子说："不信任仁人贤士，那么国家就会空若无人。没有礼义，那么上下关系就会混乱。没有好的政治，那么国家财用就不会充足。"

【解读】本章以反面论证法讲兴国之要。在本章中孟子提到了三个方面，分别是仁贤、礼义、政事。仁贤，就是我们今天所讲的人才，在孟子看来，一个国家如果不能重视、信任人才，那么人才便会离开，一旦国家没有了人才支柱，便会显得空虚无比；礼义，指的是社会道德规范，无礼则长幼失序，无义则上下争利，礼义能够辨明上下，进而稳定民志；政事，对应今天的表述就是管理，如果管理不善，国家的财富便会"生之无道，取之无度，用之无节"（《四书章句集注》），长此以往，必定财用不足。所以说，一个国家要想兴盛，就必须做到选贤任能、规范制度、管理有序。孟子此番言论虽成于两千多年前，但对于今天的国家建设仍具有适用性，足见其思想之深邃。

14.13

孟子曰："不仁而得国者，有之矣；不仁而得天下，未之有也。"

Mencius said, "There are instances of individuals without benevolence, who have got possession of a single state, but there has been no instance of the throne's being got by one without benevolence."

【译文】孟子说："不仁的人得到一个国家，有这样的情况；不仁的人得到天下，这样的事是从来没有过的。"

【解读】本章讲施行仁政的重要性。"仁政"理念贯穿孟子的整个政治思想，在他看来，不仁者得到一个国家是存在的，但是要想得到整个天下，这是不可能的。事实上也确实如此，丹朱与商均，都是天子元子，但因其不行仁道，所以没有得到天子之位；嬴政虽凭借"霸道"，统一六国，但经二世而亡。朱子注曰："言不仁之人，骋其私智，可以盗千乘之国，而不可以得丘民之心。"（《四书章句集注》）不仁之人虽可能一时得国，但同民心相背，终究会失去；而行仁义者，民心所向，故能得到天下，并且持久稳固。这也照应了孟子在《离娄上》篇中所言的"得人心者得天下，失人心者失天下"。

14.14

孟子曰："民为贵，社稷[1]次之，君为轻。
是故得乎丘[2]民而为天子，得乎天子为诸侯，
得乎诸侯为大夫。诸侯危社稷，则变置。牺牲[3]
既成，粢盛[4]既洁，祭祀以时，然而旱干水溢，
则变置社稷。"

Mencius said, "The people are the most
important element in a nation; the spirits of the land
and grain are the next; the sovereign is the lightest.
Therefore to gain the peasantry is the way to become
sovereign; to gain the sovereign is the way to become
a prince of a state; to gain the prince of a state is
the way to become a great officer. When a prince
endangers the altars of the spirits of the land and
grain, he is changed, and another appointed in his
place. When the sacrificial victims have been perfect,
the millet in its vessels all pure, and the sacrifices

《孟子》插图

孟子曰：民为贵，社稷次之，君为轻。孟子谓其说国君，重要之御谷御其次国君。联本意是孟子民本思想典型。陈述。武次庚子之春年初六颧小楼生画孟说之

民为贵，社稷次之，君为轻　徐永生 绘

offered at their proper seasons, if yet there ensue drought, or the waters overflow, the spirits of the land and grain are changed, and others appointed in their place."

【注释】［1］社稷：社，土神。稷，谷神。古代帝王或诸侯建国时，都要立坛祭祀"社""稷"，所以"社稷"又作为国家的代称。［2］丘：众。［3］牺牲：供祭祀用的牛、羊、猪等祭品。［4］粢盛（zī chéng）：盛在祭器内以供祭祀的谷物。粢，泛指谷物。

【译文】孟子说："百姓最为重要，土神谷神其次，国君为轻。所以，得到百姓欢心的做天子，得到天子欢心的做诸侯，得到诸侯欢心的做大夫。如果诸侯危害到国家，就改立他。祭祀用的牛、羊、猪已经肥壮，盛在祭器中的谷物已经洁净，并且按时祭祀，这样仍然遭受旱灾水灾，那就改立土神谷神。"

【解读】本章是孟子"民本"思想的典型陈述。在孟子看来，天子之所以为天子，是因为他能够得到百姓的欢心与支持，他的权力是百姓所赋予的；而得到天子欢心的是诸侯，得到诸侯欢心的是大夫，究其根本，诸侯与大夫的权势来源于百姓，所以诸侯作乱，危及国家，那就应当改立诸侯。祭祀合乎礼制，百姓却仍遭灾祸，非百姓之过，乃是土神谷神之罪，所以应当"变置社稷"。可见在孟子心中，国君、神祇都是为民众而设立，若不合民意，便可更置。也正因如此，民众才是国家中最根本的、决定性的一环，而百姓与社稷，又是国君尊崇地位的凭借。故朱熹注曰："盖国以民为本，社稷亦为民而立，而君之尊，又系于二者之存亡，故其轻重如此。"（《四书章句集注》）由此可见，人民才是国家的基础，一个国家要想永葆繁荣，就必须关注民生，时刻为人民的利益着想。本章所言的"民为贵，社稷次之，

君为轻", 是孟子在战国时代发出的振聋
发聩之声, 为中国古代政治思想体系注入
了浓厚的民本色彩。

14.15

孟子曰："圣人，百世之师也，伯夷、柳下惠是也。故闻伯夷之风者，顽 [1] 夫廉，懦夫有立志；闻柳下惠之风者，薄 [2] 夫敦，鄙 [3] 夫宽。奋乎百世之上。百世之下，闻者莫不兴起也。非圣人而能若是乎？而况于亲炙 [4] 之者乎？"

Mencius said, "A sage is the teacher of a hundred generations: — this is true of Boyi and Hui of Liuxia. Therefore when men now bear the character of Boyi, the corrupt become pure, and the weak acquire determination. When they hear the character of Hui of Liuxia, the mean become generous, and the niggardly become liberal. Those two made themselves distinguished a hundred generations ago, and after a hundred generations, those who hear of them, are all aroused in this manner. Could such effects be produced by them, if they had not been sages? And how much more did they affect those who were in contiguity with them, and felt their inspiring influence!"

【注释】［1］顽：贪婪。［2］薄：刻薄。［3］鄙：狭隘。［4］亲炙：亲受教育熏陶。

【译文】孟子说："圣人，是百代人的老师，伯夷、柳下惠就是这样的人。所以，听说过伯夷道德风范的人，贪婪的人会变得清廉，懦弱的人会有立志的决心；听说过柳下惠的道德风范的，刻薄的人变得厚道，狭隘的人会变得宽广。他们在百代之前奋发有为，百代之后，听说过他们事迹的人无不振作奋发。不是圣人，能像这样吗？（圣人对百代之后的影响尚且如此，）更何况当时亲身受过他们熏陶的人呢？"

【解读】本章旨在赞扬圣人的道德风范。孟子认为圣人具有强大的道德感召力，他们的道德风范能滋润百代后人，像伯夷和柳下惠这样有着高风亮节的圣人，他们的事迹与精神为人们所仰慕，如春风化雨般激励人们奋发向上。所以听说过伯夷道德风范的人，贪婪的人会变得清廉，懦弱的人会有立志的决心；听说过柳下惠道德风范的人，刻薄的人会变得厚道，狭隘的人会变得宽广。同时亲历圣人光辉者，更是受益广博。故本章所言也启示我们，要挖掘时代的楷模，引导、树立良好的社会风尚，以此推动文明的发展。

14.16

孟子曰:"仁也者,人也。合而言之,道也。"

Mencius said, "Benevolence is the distingui-shing characteristic of man. As embodied in man's conduct, it is called the path of duty."

【译文】孟子说:"所谓仁,就是人之所以为人的本性。人和仁的统一,就是道。"

【解读】本章孟子通过短短两句话,充分阐明了"仁""人""道"三者之间的关系,即仁是人的本质,具备了仁的品质才可以称之为人(这也是人区别于飞禽走兽的重要判断依据)。人只有明明德于己身,不断发展自己先天存在的仁性,保持本心,不被外物所迷惑,做到仁和人的统一,才算是达到孟子所谓的"道"。正如赵岐所注:"人与仁合而言之,可以谓之有道也。"（《孟子章句》）孟子此番言论说明，"仁"是每个人都应具备的，而求"仁"的过程，就是我们"达道"的过程，这也是对孔子"仁者，人也"思想的继承与发扬。

14.17

孟子曰："孔子之去鲁,曰:'迟迟吾行也。' 去父母国之道也。去齐,接淅 [1] 而行,去他 国之道也。"

Mencius said, "When Confucius was leaving Lu, he said, 'I will set out by-and-by;'—this was the way in which to leave the state of his parents. When he was leaving Qi, he strained off with his hand the water in which his rice was being rinsed, took the rice, and went away; —this was the way in which to leave a strange state."

【注释】 [1] 淅:淘米。

【译文】孟子说:"孔子离开鲁国时,说道:'我 要慢慢地走啊。' 这是离开祖国的办法。离 开齐国时,将淘好了的米捞起来不等沥干就赶紧走，这是离开别的国家时的态度。”

【解读】孔子离开鲁国时蜗行牛步，而离开齐国时却疾走如飞，不等淘好的米沥干就赶紧离开，孟子以此赞扬了孔子对父母之邦的深厚感情。孔子的言行举止，不仅是自身情感的真诚流露，更体现出一个普通国民对祖国的一片赤子之心，为今天的我们树立了榜样。热爱祖国，热爱人民，是我们每个中华儿女都应肩负的责任，也是每一个中国人必须具备的道德观念和思想感情。

14.18

孟子曰："君子之厄于陈、蔡^[1]之间，无上下之交也。"

Mencius said, "The reason why the superior man was reduced to straits between Chen and Cai was because neither the princes of the time nor their ministers sympathized or communicated with him."

【注释】［1］厄于陈、蔡：孔子在周游列国时，曾被围困于陈国、蔡国之间。

【译文】孟子说："孔子困在陈国、蔡国之间，是由于跟这两国的君臣没有交往的缘故。"

【解读】公元前489年，孔子及其弟子在周游列国期间，在陈、蔡两国之间被围困。《论语·卫灵公》记载："在陈绝粮，从者病，莫能兴。"

孟子认为，孔子之所以遭受围困，饥乏交迫，是因为孔子与陈、蔡两国君臣无交往的缘故。当时，陈、蔡两国的君臣对于贤德的人既不能推举为官，又不能以礼相待，因此孔子不愿与他们往来。楚国国君知晓孔子贤德，礼聘孔子前往楚国为官。陈、蔡之君害怕孔子这样的圣人到楚国受到重用，便出兵围困了孔子，使其不能到楚去效力。孔子身遭困厄而弦歌不辍的行为，为历代士人所仰慕。

14.19

　　貉稽^[1]曰：“稽大不理^[2]于口。”

　　孟子曰：“无伤也。士憎兹多口。《诗》云：‘忧心悄悄，愠于群小^[3]。’孔子也。‘肆不殄厥愠，亦不陨厥问^[4]。’文王也。”

Mo Qi said, "Greatly am I from anything to depend upon from the mouths of men."

Mencius observed, "There is no harm in that. Scholars are more exposed than others to suffer from the mouths of men. It is said, in the *Book of Poetry*, 'My heart is disquieted and grieved, I am hated by the crowd of mean creatures.' This might have been said by Confucius. And again, 'Though he did not remove their wrath, he did not let fall his own fame.' This might be said of king Wen."

【注释】［１］貉稽：人名，生世不详。［２］理：顺。

[3]忧心悄悄,愠于群小:出自《诗经·邶风·柏舟》。[4]肆不殄厥愠,亦不陨厥问:出自《诗经·大雅·绵》。肆:发语词,无实义。殄:消灭,绝。问:声闻,名声。

【译文】貉稽说:"我被人家说了很多坏话。"

　　孟子说:"没关系的。士人憎恶这种七嘴八舌的非议。《诗经》说:'忧心忡忡排遣不了,小人对我又恨又恼。'说的是孔子。《诗经》又说:'不消除别人的怨恨,也不丧失自己的名声。'说的是文王。"

【解读】貉稽平日多遭人诽谤诋毁,为此感到苦闷,便向孟子请教。孟子用孔子、周文王的例子向其阐明,即便是圣人也难免被群小诋毁,但他们依旧是圣人。我们常说"行高于人,众必非之"(李康《运命论》),德行高的人被小人非议,是普遍存在的事情;面对这些流言蜚语,士人所要做的是恪守自己的原

则，不易其心，遵行正道。如果一味追求名
声而放弃原则去迎合群小，那便丧失了本心、
迷失了方向。

14.20

孟子曰："贤者以其昭昭^[1]，使人昭昭；今以其昏昏，使人昭昭。"

Mencius said, "Anciently, men of virtue and talents by means of their own enlightenment made others enlightened. Nowadays, it is tried, while they are themselves in darkness, and by means of that darkness, to make others enlightened."

【注释】［1］昭昭：明白。

【译文】孟子说："贤人先使自己明白，然后才去使别人明白；今天的人则是自己稀里糊涂，却想去使别人明白。"

【解读】本章孟子阐述了贤人与今人在教育问题上的不同之处，批评那些"以己之昏，责人之明"的做法。孟子指出：贤人先是自己明白，然后才去使别人明白，这才是正确的教育方法；现在的人则是自己稀里糊涂，却想使别人明白他所说的"大道理"，这是错误的教育方法。所以想要成为贤达之人，就要勤于学习，虚心请教，不断探索进步，使自己先明达，才能够"使人昭昭"。反之，如果故步自封，妄自尊大，那就只能"以其昏昏，使人昭昭"了。这对我们今天的教育者来说，既是一种方法论，又是一道"警戒线"。

14.21

　　孟子谓高子^[1]曰："山径之蹊间^[2]，介然用之而成路；为间^[3]不用，则茅塞之矣。今茅塞子之心矣。"

Mencius said to the disciple Gao, "There are the footpaths along the hills; if suddenly they be used, they become roads; and if, as suddenly they are not used, the wild grass fills them up. Now, the wild grass fills up your mind."

【注释】[1]高子：齐国人，孟子的学生。[2]蹊：小路。间：阻隔。[3]为间：有顷，一会儿，此指隔一段时间。

【译文】孟子对高子说："山坡上的小路，本是阻隔不通的，但是经常有人行走，便踏成了路；如果一段时间没有人去走，又会被茅草堵塞。现在茅草也把你的心堵塞住了。"

【解读】高子是齐国人，曾经向孟子学习儒家的
仁义之道，但是他还未领会其中的真谛，便
不再学习，骄傲自满起来，把之前所学的知
识全都抛诸脑后了。过了一段时间，高子去
见孟子，孟子以山坡上的小路为喻，告诫高
子修养心性、学习仁义要持之以恒，坚守本心，
切勿半途而废，否则就会像山间小路那样，
被茅草重新堵塞。朱熹评注曰："言义理之心，
不可少有间断也。"（《四书章句集注》）修身、
为学皆是如此，保有恒心，便会日有所进，
终成大道；反之则会前功尽弃。

14.22

高子曰："禹之声尚文王之声。"

孟子曰："何以言之？"

曰："以追蠡[1]。"

曰："是奚足哉？城门之轨，两马之力
与？"

The disciple Gao said, "The music of Yu was better than that of king Wen."

Mencius observed, "On what ground do you say so?"

And the other replied, "Because at the pivot the knob of Yu's bells is nearly worn through."

Mencius said, "How can that be a sufficient proof? Are the ruts at the gate of a city made by a single two-horsed chariot?"

【注释】［1］追蠡：追，钟纽；蠡，虫蛀木，引申为器物经久磨损要断的样子。

【译文】高子说："禹的音乐，胜过文王的音乐。"

孟子问："凭什么这么说？"

（高子）说："因为（禹传下来的钟）钟纽都快断了（可见人们喜欢演奏它）。"

（孟子）说："这哪足以说明问题呢？城门下的车辙很深，是一两匹马的力量造成的吗？"

【解读】孟子的弟子高子，通过钟纽的磨损程度，判断出大禹时期的音乐要比文王时期的音乐更受人喜爱。孟子认为这个观点是有失偏颇的，人们对于两种音乐的喜爱程度与钟纽的磨损程度没有必然的因果关系。正如城门下的车辙印很深，除了一定时间内经过的车辆很多之外，还有着长期累积的缘故。在时间上，大禹比文王距离孟子更远，在相同演奏次数的条件下，大禹时期的钟纽的磨损程度可能

会比文王时期的更大。因为存在着两个变量，
很难通过钟钮磨损程度来判断哪种音乐更为
美妙。故此章告诫我们，对于一个事物的判断，
不能仅抓其一点，而应当从整体出发全面地
去思考与探究。

14.23

　　齐饥。陈臻曰："国人皆以夫子将复为发棠[1]，殆不可复。"

　　孟子曰："是为冯妇[2]也。晋人有冯妇者，善搏虎，卒为善士。则之野，有众逐虎。虎负嵎[3]，莫之敢撄[4]。望见冯妇，趋而迎之。冯妇攘臂下车。众皆悦之，其为士者笑之。"

When Qi was suffering from famine, Chen Zhen said to Mencius, "The people are all thinking that you, Master, will again ask that the granary of Tang be opened for them. I apprehend you will not do so a second time."

Mencius said, "To do it would be to act like Feng Fu. There was a man of that name in Jin, famous for his skill in seizing tigers. Afterwards he became a scholar of reputation, and going once out to the wild country, he found the people all in pursuit of a tiger. The tiger took refuge in a corner of a hill, where no one dared to attack him, but when they saw Feng Fu, they ran and met him. Feng Fu immediately bared his arms, and descended from the carriage. The multitude were pleased with him, but those who were scholars laughed at him."

【注释】［1］复为发棠：再次劝齐王打开棠地的粮仓赈济灾民。棠，地名，在今山东即墨南。过去齐国灾荒时，孟子曾劝过齐王打开棠地粮仓赈济灾民，所以有此说。［2］冯妇：人名。［3］嵎（yú）：山势弯曲险阻处。［4］撄（yīng）：接触，触犯。

【译文】齐国饥荒。陈臻对孟子说："国人都以为老师会再次劝齐王打开棠邑的粮仓来赈济灾民，大概不可以再这样做了吧。"

孟子说："再这样做就成了冯妇了。晋国有个人叫冯妇，善于打虎，后来成了善士。

有一次到野外去，看到有很多人正在追逐一
只老虎。那老虎背靠着山势险阻的地方，没
有人敢靠近它。人们远远望见冯妇来了，赶
忙跑去迎接他。冯妇挽袖伸臂走下了车。众
人都很高兴，可士人们却讥笑他。"

【解读】本章孟子主讲为人当知进退、识时务。
公元前 329 年，孟子第一次到达齐国，便被齐
王拜为稷下大夫；当齐国发生灾荒时，孟子同
情受苦受灾的百姓，曾苦劝齐王打开棠地粮仓
赈济灾民。当孟子打算离开时，齐国又发生了
灾荒，孟子以冯妇典故为例，说明不欲劝说齐
王再次开仓放粮的缘故。孟子当初事齐，深受
信任，劝齐王救济灾民尚可；如今齐王不能用
孟子，孟子也决定离开，此时若再直言开仓救
灾，无疑是自取其辱。不在其位不谋其政，知
命不立于危墙之下。冯妇昔日能打虎，而今已
衰，恐力有未逮，打虎不成，反受其害。本章
告诉我们，为人处世，要洞明时务，量力而行。

14.24

孟子曰："口之于味也，目之于色也，耳之于声也，鼻之于臭[1]也，四肢之于安佚也，性也，有命焉，君子不谓性也。仁之于父子也，义之于君臣也，礼之于宾主也，智之于贤者也，圣人之于天道也，命也，有性焉，君子不谓命也。"

Mencius said, "For the mouth to desire sweet tastes, the eye to desire beautiful colours, the ear to desire pleasant sounds, the nose to desire fragrant odours, and the four limbs to desire ease and rest; — these things are natural. But there is the appointment of Heaven in connexion with them, and the superior man does not say of his pursuit of them, 'It is my nature.' The exercise of love between father and son, the observance of righteousness between sovereign and minister, the rules of ceremony between guest

and host, the display of knowledge in recognising
the talented, and the fulfilling the heavenly course
by the sage; —these are the appointment of Heaven.
But there is an adaptation of our nature for them.
The superior man does not say, in reference to them,
'It is the appointment of Heaven.'"

【注释】〔1〕臭（xiù）：气味，本为中性词，
此处指芳香之气。

【译文】孟子说："口对于美味，眼睛对于美色，
耳朵对于好听的声音，鼻子对于香味，四肢
对于安逸，（都是极喜欢的，）这是人的天性，
但能否享受到，有命运的安排，所以君子不
说这是本性的必然。仁对于父子，义对于君臣，
礼对于宾主，智慧对于贤者，圣人对于天道，
（能否实现）是由命决定的，但其中也有本
性的作用，因此君子不把它们看成是命的安
排。"

【解读】本章谈性命之辩。在这里所谈的几处"性"字含义不同，"性也"之"性"，指人天生就有的自然生理欲望；"君子不谓性也"和"有性焉"中的"性"，则指的是人之所以为人的本性。在孟子看来，口、目、耳、鼻、四肢对味、色、声、嗅、安逸的追求，是人与生俱来的自然生理欲望，能否得到却有命运的安排，所以君子认为这并非人之所以为人的本性，故而不加以追逐。仁、义、礼、智是调节父子、君臣、宾主等人际关系的道德规范，虽然其实现与否仍受制于命运，但又是人们内在主体意识的具象化产物，属于人之所以为人的本性，所以君子不能仅看到它们对味、色、声、嗅的限制作用而放弃主观的努力。也就是说，仁、义、礼、智具有两重性，它既具有调节人际关系的道德规范的限制性，又是人内在主体意识具有的能动性。孟子将味、色、声、嗅等自然欲望排除到人真正的本性之外，同时强调了仁、义、

礼、智作为人真正的本性的重要作用。孟子
不仅与告子"生之谓性"和"食色，性也"
的观点划清了界限，而且辨明了性命之别，
在中国古代思想史上留下了一笔重彩。

14.25

浩生不害 [1] 问曰："乐正子 [2] 何人也？"

孟子曰："善人也，信人也。"

"何谓善？何谓信？"

曰："可欲之谓善，有诸己之谓信，充实之谓美，充实而有光辉之谓大，大而化之之谓圣，圣而不可知之之谓神。乐正子，二之中，四之下也。"

Haosheng Buhai asked, saying, "What sort of man is Yuezheng?"

Mencius replied, "He is a good man, a real man."

"What do you mean by 'a good man,' 'A real man?'"

The reply was, "A man who commands our liking is what is called a good man. He whose goodness is part of himself is what is called real man.

He whose goodness has been filled up is what is called beautiful man. He whose completed goodness is brightly displayed is what is called a great man. When this great man exercises a transforming influence, he is what is called a sage. When the sage is beyond our knowledge, he is what is called a spirit-man. Yuezheng is between the two first characters, and below the four last."

【注释】[1]浩生不害：姓浩生，名不害，齐国人。[2]乐正子：孟子弟子。

【译文】浩生不害问："乐正子是什么样的人？"

孟子说："是个善人，是个诚实的人。"

"什么叫善？什么叫诚实？"

孟子说："值得别人喜爱就叫善，自己身上确实具有值得让人喜爱的品质就叫信，善、信充实就叫美，既充实又光辉四射就叫大，大而又能推行善信以教化天下就叫圣，圣到了妙不可知的境界就叫神。乐正子处在善和信二者之中，美、大、圣、神四者之下的人。"

【解读】本章孟子通过回答浩生不害的问题，阐明了他的人格理论。孟子按照道德范畴把人分为六等，分别是善人、信人、美人、大人、圣人、神人。从善人到神人这六个等次，是按照"善"的程度来分的。这六个层次，层层递进，直至圣、神的境界。乐正子作为孟子的学生，孟子对他自然是非常了解，在这里孟子说他是"善人""信人"，而没有说他是后面四种境界的人物，说明在孟子看来，乐正子还没有达到至高的道德水准。战国时期的诸子百家对人的分类问题持有不同的主张，其中道家代表人物庄子在《逍遥游》中说："至人无己，神人无功，圣人无名。"庄子这是基于"无所待"来说的，也就是超脱于物外，不为外物所束缚。按照孟子的人格理论，不断修养自身，循其进阶而向前，这是历代世人的必由之路。

14.26

孟子曰：“逃墨必归于杨，逃杨必归于儒。归，斯受之而已矣。今之与杨、墨辩者，如追放豚，既入其苙^[1]，又从而招^[2]之。”

Mencius said, "Those who are fleeing from the errors of Mo naturally turn to Yang, and those who are fleeing from the errors of Yang naturally turn to orthodoxy. When they so turn, they should at once and simply be received. Those who nowadays dispute with the followers of Yang and Mo do so as if they were pursuing a stray pig, the leg of which, after they have got it to enter the pen, they proceed to tie."

【注释】［1］苙（lì）：猪圈。［2］招：拴，羁绊。

【译文】孟子说：“逃避墨家，必定会回归杨朱；

逃避杨朱，必定会回归儒家。回归了，接纳他就是了。而现在同杨朱、墨子辩论的人，好像在追逐跑掉的猪，已经追回，赶入猪圈了，还要接着把它的脚捆绑起来。"

【解读】儒家和墨家，在当时并称为"显学"，杨朱学说在当时也受到很多人的追捧，社会影响力很大。三家学说不可避免地会存在种种矛盾，相互辩论、攻讦，也是不可避免的。墨家主张兼爱，杨朱主张为我，二者互为极端，儒家则取中庸之道。在孟子看来，逃避墨家学说的必定归于杨朱一派，逃避杨朱一派的必定归于儒家门下，对于这群人，自然地接受便好了；不必像当下与杨、墨两家论战的人那样，明明人家已经回归正途了，却又给他们设置种种限制。从孟子的这番言论，我们能看出他对儒家学说的自信，同时也能看出儒家学说所具有的包容精神。也正是这种包容精神，才使得儒家思想能够成蔚然大观之势。

14.27

孟子曰："有布缕之征，粟米之征，力役之征。君子用其一，缓其二。用其二而民有殍[1]，用其三而父子离。"

Mencius said, "There are the exactions of hempen-cloth and silk, of grain, and of personal service. The prince requires but one of these at once, deferring the other two. If he require two of them at once, then the people die of hunger. If he require the three at once, then fathers and sons are separated."

【注释】[1]殍（piǎo）：饿死的人。

【译文】孟子说："有对布帛的征税，有对粮食的征税，有对劳动力的征税。君子征收了其中一种，就缓征其他两种。同时征收两种，百姓就会有饿死的了；同时征收三种，就会使百姓父子骨肉相离了。"

【解读】本章孟子通过对赋税问题的见解表达了其仁政思想。赋税是国家政权运转的有力支撑，现在赋税也是国家财政的主要来源和宏观调控的重要手段。在孟子那个时代，赋税主要有三种，一是布税（纳布帛），二是粮食税（缴粟米），再就是力役税。孟子认为，如果要征税，最好的方式是征收其中一种，而缓征其他两种。在生产力较为低下的古代社会，农民的产出是极低的，如果政府征收无度，必定会导致民力凋敝，百姓饿殍遍野，家破人亡。故朱熹注道："征赋之法，岁有常数，然布缕取之于夏，粟米取之于秋，力役取之于冬，当各以其时；若并取之，则民力有所不堪矣。"（《四书章句集注》）在战乱频繁的战国时代，各诸侯国为了快速地使自己强大起来，就大力征税，导致民不聊生。孟子从"民本"出发，告诫统治者要实行仁政，轻徭薄赋，藏富于民。

14.28

孟子曰："诸侯之宝三：土地，人民，政事。宝珠玉者，殃必及身。"

Mencius said, "The precious things of a prince are three: —the territory, the people, the government and its business. If one value as most precious pearls and jade, calamity is sure to befall him."

【译文】孟子说："诸侯的宝物有三样：土地、人民、政事。如果错以珍珠美玉为宝，灾祸必定落到他身上。"

【解读】从中国历代王朝兴衰的历史规律中，我们可以看出一个国家最为重要的，莫过于"土地""人民""政事"这三种宝器。土地是养民的资本，人民是国家的基础，政事是协调国家各方面的凭借。如果统治者不重视此三者，而只在乎珠玉，那么就失去了养民之资（土地），没有了养民之资，必然也会失去人民；如果没有政事，那么土地、人民便会如一盘散沙，社会矛盾必然频频出现。长此以往，必定危及自身，蜀汉后主刘禅、陈后主陈叔宝都是如此。如果为政者能重视此三者，那么国家的强盛，自然也是水到渠成。本章孟子通过论述不重视"土地""人民""政事"的严重后果，来警醒统治者，故朱熹引用尹氏之言曰："宝得其宝者安，宝失其宝者危。"（《四书章句集注》）

14.29

盆成括 [1] 仕于齐，孟子曰："死矣盆成括！"

盆成括见杀，门人问曰："夫子何以知其将见杀？"

曰："其为人也小有才，未闻君子之大道也，则足以杀其躯而已矣。"

Pencheng Kuo having obtained an official situation in Qi, Mencius said, "He is a dead man, that Pencheng Kuo!"

Pencheng Kuo being put to death, the disciples asked, saying, "How did you know, Master, that he would meet with death?"

Mencius replied, "He was a man, who had a little ability, but had not learned the great doctrines of the superior man. He was just qualified to bring death upon himself, but for nothing more."

【注释】 ［1］盆成括：姓盆成，名括。

【译文】 盆成括在齐国做官，孟子说："盆成括离死不远了！"

盆成括被杀，学生问孟子说："老师怎么知道盆成括将要被杀呢？"

（孟子回答）说："盆成括有小聪明，但不懂得君子应该知道的大道理，这是足以招致杀身之祸的。"

【解读】 本章主讲为人切勿恃才妄作，当修"君子大道"。盆成括是孟子的一个学生，他聪明伶俐，给孟子留下了深刻的印象，但他喜欢崭露头角，往往恃才傲物。当他感觉学有所成的时候，便离开孟子，去齐国做了官。孟子听说之后，便对门人说他离死不远了，果不其然，盆成括真被杀害。在孟子看来，盆成括虽有才能，但那是小才，不解"君子大道"，这种人往往急功近利、锋芒毕露，早晚会招致灾祸。曹魏时的杨修便是如此，恃才放旷，屡次动触曹操逆鳞，却不自知，最终身首异处。三国时期魏人李康《运命论》说："木秀于林，风必摧之；堆出于岸，流必湍之；行高于人，众必非之。"一个人仅有小聪明是不足处世的，唯有践行君子仁义、谦逊之道，方可安身立命。

14.30

孟子之滕，馆于上宫。有业屦^[1]于牖上，馆人求之弗得。或问之曰："若是乎从者之廋^[2]也？"

曰："子以是为窃屦来与？"

曰："殆非也。夫子之设科也，往者不追，来者不距。苟以是心至，斯受之而已矣。"

When Mencius went to Teng, he was lodged in the upper palace. A sandal in the process of making had been placed there in a window, and when the keeper of the place came to look for it, he could not find it. On this, some one asked Mencius, saying, "Is it thus that your followers pilfer?"

Mencius replied, "Do you think that they came here to pilfer the sandal?"

The man said, "I apprehend not. But you, Master, having arranged to give lessons, do not go back to inquire into the past, and you do not reject those who come to you. If they come with the mind to learn, you receive them without any more to do."

【注释】［1］业屦：未织完的草鞋。［2］庾（sōu）：藏匿，隐藏。

【译文】孟子到了滕国，住在上宫。有一双还没织好的草鞋放在窗台上，旅馆里的人来找但没有找到。有人问孟子："好像是跟随你来的人把草鞋藏匿起来了吧？"

（孟子）说："你以为这些人是为了偷鞋子才来这里的吗？"

那人说道："大概不是的。先生设立课程，对走的不追究，来的不拒绝。只要是怀着求学心愿来的，就接收他罢了。"

【解读】本章通过孟子与馆人的对话，体现了孟子的教育理念。孟子与众弟子到了滕国，住在上宫这个地方。一天，馆里一双晾在窗台上尚未织好的草鞋不见了，馆舍的人怀疑是孟子的徒弟偷了。其理由是孟子设科教学，只关心弟子是否有求学之心，对他们的离开与归来不甚在意，他们当中可能良莠不齐，所以难免有人会行偷盗之事。从字面上来看，这大概是对孟子及其弟子的一种污蔑，但其实不然，本章的主要意思并不是说明孟子的门徒中有鸡鸣狗盗之辈，而在于"往者不追，来者不距"。孟子讲学授业，继承了孔子"有教无类"的这一方针，只要一心求学，皆可投其门下。所以馆人之言虽有不当之处，却道出了儒家的教育方针。所以朱熹评此章曰："夫子设置科条以待学者，苟以向道之心而来，则受之耳，虽夫子亦不能保其往也。门人取其言，有合于圣贤之指，故记之。"（《四书章句集注》）

14.31

孟子曰："人皆有所不忍，达之于其所忍，仁也；人皆有所不为，达之于其所为，义也。人能充无欲害人之心，而仁不可胜用也；人能充无穿逾 [1] 之心，而义不可胜用也；人能充无受尔汝 [2] 之实，无所往而不为义也。士未可以言而言，是以言餂 [3] 之也；可以言而不言，是以不言餂之也，是皆穿逾之类也。"

Mencius said, "All men have some things which they cannot bear; extend that feeling to what they can bear, and benevolence will be the result. All men have some things which they will not do; extend that feeling to the things which they do, and righteousness will be the result. If a man can give full development to the feeling which makes him shrink from injuring others, his benevolence will be more than can be called into practice. If he can give full development to the feeling which refuses to break through, or jump over, a wall, his righteousness will be more than can be called into practice. If he can give full development to the real feeling of dislike with which he receives the salutation, 'Thou,' 'Thou,' he will act righteously in all places and circumstances. When a scholar speaks what he ought not to speak, by guile of speech seeking to gain some end; and when he does not speak what he ought to speak, by guile of silence seeking to gain some end; both these cases are of a piece with breaking through a neighbour's wall."

【注释】［１］穿逾：穿壁逾墙，指偷窃行为。［２］尔汝：尊长对卑幼者的称呼，引申为轻贱之称。［３］餂（tiǎn）：诱取。

【译文】孟子说："人都有不忍心干的事，把它推及他所忍心去干的事上，就是仁；人都有不肯去干的事，把它推及他所肯干的事上，就是义。一个人能把不想害人的心扩展开，仁就用不尽了；一个人能把不愿爬洞跳墙（行窃）的心扩展开，义就用不尽了；一个人能把不愿受人轻贱的心扩展开，那么无论到哪里，（言行）都是符合义的。士人，不可以同他交谈而去交谈，这是用言语诱取他；可以同他交谈却不去交谈，这是用沉默诱取他，这些都是爬洞跳墙一类的行为。"

【解读】本章共两层意思，第一层为扩充仁义，第二层为守持"中道"。孟子主张人性本善，认为人的内心都含有为善行德、崇仁尚义的根苗，所以人皆有不忍心去做和不肯做的事情，将这种心理扩展到忍心去干、肯去做的事情上，那就是仁与义；不想害人、不想行窃、不想受人轻贱的心也是每个人都具备的，如果将其充分扩展，正义的思想便会越来越强大，行为也会愈加符合仁义的要求。如此

君子仁义　岳海波　绘

才可使本性得到涵养，个人的修为才能得以提高，这也是"成圣"之道。

　　孟子在提倡扩充仁义的同时，也批判了当时两类士人。第一类，是巧舌如簧的士人，这些人以言语诱惑他人，来求得自身利益；第二类，是那些故作高深的士人，他们以沉默来诱惑他人，同样来求自身之利。这两类人与翻墙行窃之人无二，而真正的士人应当守持"中道"，情况未允之时则三缄其口，情况允之则直言不讳，当仁不让。有仁义之实，所言所行皆合乎仁义，此所谓"中道"也。

14.32

孟子曰："言近而指远者，善言也；守约而施博者，善道也。君子之言也，不下带[1]而道存焉。君子之守，修其身而天下平。人病舍其田而芸人之田，所求于人者重，而所以自任者轻。"

Mencius said, "Words which are simple, while their meaning is far-reaching, are good words. Principles which, as held, are compendious, while their application is extensive, are good principles. The words of the superior man do not go below the girdle, but great principles are contained in them. The principle which the superior man holds is that of personal cultivation, but the kingdom is thereby tranquillized. The disease of men is this: —that they neglect their own fields, and go to weed the fields of others, and that what they require from others is *great, while what they lay upon themselves is light."*

【注释】［1］带：束腰的带子。古人视不下带，喻为眼前。

【译文】孟子说："言语浅近而意义深远的，是善言；守约简便而施行起来恩泽广博的，是善道。君子的言语，讲的虽然是眼前的事情，却蕴含着深刻的道理；君子的操守，修养自身以使天下太平。一些人的毛病，往往在于舍弃自己的田地不耕种，却到别人的田里去耕耘，要求别人很苛刻，而对自己要求很宽松。"

【解读】本章孟子论及"道"的特点，即施行简便而恩泽广博。子曰："道不远人。人之为道而远人，不可以为道。"（《中庸》）真正的"道"，存在于生活的点滴小事之中，如果执意追求那些所谓高深莫测的道理，只能是舍本逐末、缘木求鱼。既然"道"是施行简便的，那我们追求的方法便要落脚到自我的身心修养上。孟子解释"道"的高明之处在于，将践行的方法立足当下，由近及远，从而使道成为一种人人皆可追求的目标，而当每一个人的自我修养逐步提高时，社会也会有整体性的进步。此外，孟子还指出了一种应当反对的社会现象，那便是双重标准：有些人乐于教导他人，对于别人的要求十分苛刻，而对于自己则要求宽松。这种做法不仅会引起别人的反感，更使自己关注的重心脱离自身，从而忽视了自我修养，以至于束缚了自己前进的步伐。所以要想真正追求"道"，就必须先修好自己的"田"，只有自身端正了，才可推及他人。

14.33

孟子曰："尧、舜，性者也；汤、武，反之也。动容周旋中礼者，盛德之至也；哭死而哀，非为生者也；经德不回 [1]，非以干禄 [2] 也；言语必信，非以正行也。君子行法，以俟命而已矣。"

Mencius said, "Yao and Shun were what they were by nature; Tang and Wu were so by returning to natural virtue. When all the movements, in the countenance and every turn of the body, are exactly what is proper, that shows the extreme degree of the complete virtue. Weeping for the dead should be from real sorrow, and not because of the living. The regular path of virtue is to be pursued without any bend, and from no view to emolument. The words should all be necessarily sincere, not with any desire to do what is right. The superior man performs the law of right, and thereby waits simply for what has been appointed."

【注释】［1］经德不回：以德而行，百折不挠。经：行。回：折回。［2］干禄：求取官禄。

【译文】孟子说："尧舜的仁德，出自本性；商汤、周武王的仁德，是经过修身回复到本性。举止仪容等一切方面都符合礼，这是美德的最高境界。为死者哭得悲哀，不是做给生者看的。遵循道德而不改变，不是为了追求高官厚禄。言语一定信实，不是用来博取品行端正的名声。君子行事遵循法度，以此等待命运的安排罢了。"

【解读】仁德在一般人的观念中是美好的，是需要我们去践行的，然而我们践行仁德，是为了以之博取他人好感从而获得利禄名誉，还是将仁德本身作为我们人生的根本追求呢？

孟子在本章中给出了明确的回答，即仁德出
自本性，践行仁德当是我们的追求，而绝不
能当作博取外物的手段。孟子的立论基于性
善论的基本观点，通过叙述尧舜汤武的仁德，
告诉我们仁德乃出自人的本性，实行仁德便
是率性而为；虽然善性仁德极有可能被遮蔽，
但也可以通过后天的自我修养回归本性。那
仁德的生活如何体现呢？自己的言行举止符
合礼的规范，便是其体现。在这种生活状态
之下，所追求的已不是外在的功名利禄，而
是无功利性的，因此只需遵循法度去行事即
可，所得所失均交由天命安排。回归善之本性，
是豁达光明、不为外物所累的，我们由此可
以获得真正的自由，从而体会到人生真正的
愉悦，这大概就是孔夫子所言的"从心所欲
不逾矩"（《论语·为政》）。

14.34

孟子曰："说 [1] 大人，则藐之，勿视其
巍巍然。堂高数仞，榱题 [2] 数尺，我得志，
弗为也；食前方丈，侍妾数百人，我得志弗
为也；般乐 [3] 饮酒，驱骋田猎，后车千乘，
我得志弗为也。在彼者，皆我所不为也；在
我者，皆古之制也，吾何畏彼哉？"

Mencius said, "Those who give counsel to the
great should despise them, and not look at their
pomp and display. Halls several times eight cubits
high, with beams projecting several cubits;— these,
if my wishes were to be realized, I would not have.
Food spread before me over ten cubits square,
and attendants and concubines to the amount of
hundreds; —these, though my wishes were realized,
I would not have. Pleasure and wine, and the dash
of hunting, with thousands of chariots following

after me; —these, though my wishes were realized, I would not have. What they esteem are what I would have nothing to do with; what I esteem are the rules of the ancients. —Why should I stand in awe of them?"

【注释】［1］说（shuì）：游说，劝说。［2］榱（cuī）题：屋檐。［3］般乐（pán lè）：大肆作乐。

【译文】孟子说："游说达官贵人，要藐视他，不把他高高在上的样子放在眼里。殿堂高好几丈，屋檐宽好几尺，如果我得志，不这么干。佳肴摆满桌，侍妾几百人，如果我得志，不这么干。饮酒作乐，驰驱打猎，随从的车上千辆，如果我得志，不这么干。他所做的，都是我不屑于做的；我所做的，都合乎古代的制度。我为什么要怕他呢？"

【解读】孟子认为对于拥有权势、财富的显贵，要藐视他们，即要做到不卑不亢，保持自己的独立人格。孟子为何能做到常人难以企及的这点？大概是依凭着自己的一股浩然正气吧。在孟子心中，那些"大人"所拥有的殿堂、盛宴、美女、美酒、车辆并不是他所羡慕的，而是他耻于拥有的。孟子所推崇的是先贤之制，是为百姓寻求安身立命的事业，自然顶天立地，胸怀坦荡。"彼之巍巍者，何足道哉！"（朱熹《四书章句集注》）孟子的这番话是一种人生的底气，是一种自信的精神，这也践行了他所言的："富贵不能淫，贫贱不能移，威武不能屈。"（《孟子·滕文公下》）

14.35

　　孟子曰："养心莫善于寡欲。其为人也寡欲，虽有不存焉者，寡矣；其为人也多欲，虽有存焉者，寡矣。"

Mencius said, "To nourish the mind there is nothing better than to make the desires few. Here is a man whose desires are few: —in some things he may not be able to keep his heart, but they will be few. Here is a man whose desires are many: —in some things he may be able to keep his heart, but they will be few."

【译文】孟子说："修养心性的最好方法是减少欲望。一个人如果欲望很少，善性即使有所丧失，那也是很少的；一个人如果欲望很多，善性即使有所存留，那也是很少的。"

【解读】本章孟子主要阐明"寡欲"。口耳鼻目四肢之欲是人所共有的，也是不可去除的。但如果放纵欲望发展，一旦过度膨胀，那么自身关注的重点便由身心转向外界，无暇进行自修，即使善性有所存留，那也是很少的；更为甚者，成为欲望的奴隶，走向了极端利己与排他的地步，不但无法修养身心，更会损伤他人、危害社会。因此，孟子希望人人都应当"寡欲"（节制自身欲望），以此来保持自身善性。当今社会，到处充满了诱惑，如果不能节制欲望，很容易落入欲望的陷阱，更不要谈为善修心了。所以节制欲望，不做欲望的奴隶，对于今人来讲更为重要。正如俗语所说："贪如火，不遏则燎原；欲如水，不遏则滔天。"

14.36

曾晳嗜羊枣[1]，而曾子不忍食羊枣。公孙丑问曰："脍炙[2]与羊枣孰美？"

孟子曰："脍炙哉！"

公孙丑曰："然则曾子何为食脍炙而不食羊枣？"

曰："脍炙所同也，羊枣所独也。讳名不讳姓，姓所同也，名所独也。"

Mencius said, "Zeng Xi was fond of sheep-dates, and his son, the philosopher Zeng, could not bear to eat sheep-dates." Gongsun Chou asked, saying, "Which is best, —minced meat and broiled meat, or sheep-dates?"

Mencius said, "Mince and broiled meat, to be sure."

Gongsun Chou went on, "Then why did the philosopher Zeng eat mince and broiled meat, and

曾子不食羊枣　李岩　绘

孟
子

would not eat sheep-dates?"

Mencius answered, "For mince and broiled meat there is a common liking, while that for sheep-dates was peculiar. We avoid the name, but do not avoid the surname. The surname is common; the name is peculiar."

【注释】[1]羊枣：因形状色泽似羊屎，故称羊枣。杨伯峻《孟子译注》："何焯《义门读书记》云：'羊枣非枣也，乃柿之小者。初生色黄，孰则黑，似羊矢，其树再接则成柿。'"[2]脍炙：切细的肉和烤熟的肉。

【译文】曾晳爱吃羊枣，（死后，他的儿子）曾参就不忍心吃羊枣。公孙丑问道："烤肉与羊枣，哪样味道好？"

孟子说："当然是烤肉！"

公孙丑又问："那么曾子为什么吃烤肉而不吃羊枣？"

（孟子）说："烤肉是大家共同爱吃的，而吃羊枣是（曾皙）独有的嗜好。（如同避讳）只避名不避姓，因为姓是很多人共用的，而名是一个人独有的。"

【解读】"孝弟也者，其为仁之本与"（《论语·学而》），孝悌观念在儒家思想中一直处于核心地位。曾参与其父曾皙，皆跟从孔子学习，推动了早期儒家思想的传播。曾皙爱吃羊枣，其去世之后，曾参便不忍食之，公孙丑对此颇有不解，故来询问孟子。在孟子看来，脍炙虽好吃，但是大家所共同喜好的，只有羊枣是曾皙独爱的，所以曾参每见到羊枣便思念其父，才不忍心吃。朱熹注曰："曾子以父嗜之，父殁之后，食必思亲，故不忍食也。"（《四书章句集注》）这也就像取名字，为什么避讳名而不避讳姓的缘故。曾子不食羊枣这一典故，作为"二十四孝"之一，广为流传。

14.37

万章问曰："孔子在陈曰[1]：'盍归乎来！吾党之士狂简，进取，不忘其初。'孔子在陈，何思鲁之狂士？"

孟子曰："孔子'不得中道而与之，必也狂狷[2]乎！狂者进取，狷者有所不为也'。孔子岂不欲中道哉？不可必得，故思其次也。"

"敢问何如斯可谓狂矣？"

曰："如琴张[3]、曾晢、牧皮[4]者，孔子之所谓狂矣。"

"何以谓之狂也？"

曰："其志嘐嘐[5]然，曰'古之人，古之人'。夷[6]考其行而不掩焉者也。狂者又不可得，欲得不屑不洁之士而与之，是狷也，是又其次也。孔子曰：'过我门而不入我室，我不憾焉者，其惟乡原[7]乎！乡原，德之贼也[8]。'"

曰："何如斯可谓之乡原矣？"

曰："'何以是嘐嘐也？言不顾行，行不顾言，则曰，古之人，古之人。行何为踽踽凉凉[9]？生斯世也，为斯世也，善斯可矣。'阉然[10]媚于世也者，是乡原也。"

万子曰："一乡皆称原人焉，无所往而不为原人，孔子以为德之贼，何哉？"

曰："非之无举也，刺之无刺也；同乎流俗，合乎污世；居之似忠信，行之似廉洁；众皆悦之，自以为是，而不可与入尧、舜之道，故曰德之贼也。孔子曰：'恶似而非者：恶莠[11]，恐其乱苗也；恶佞，恐其乱义也；恶利口，恐其乱信也；恶郑声，恐其乱乐也；恶紫，恐其乱朱也；恶乡原，恐其乱德也。'君子反经[12]而已矣。经正，则庶民兴；庶民兴，斯无邪慝[13]矣。"

Wan Zhang asked, saying, "Confucius, when he was in Chen, said: 'Let me return. The scholars of my school are ambitious, but hasty. They are for advancing and seizing their object, but cannot forget their early ways.' Why did Confucius, when he was in Chen, think of the ambitious scholars of Lu?"

Mencius replied, "Confucius not getting men pursuing the true medium, to whom he might communicate his instructions, determined to take the ardent and the cautiously-decided. The ardent would advance to seize their object; the cautiously-decided would keep themselves from certain things. It is not to be thought that Confucius did not wish to get men pursuing the true medium, but being unable to assure himself of finding such, he therefore thought of the next class."

"I venture to ask what sort of men they were who could be styled 'The ambitious'?"

"Such," replied Mencius, "as Qin Zhang, Zeng Xi, and Mu Pi, were those whom Confucius styled 'ambitious.'"

"Why were they styled 'ambitious'?"

The reply was, "Their aim led them to talk magniloquently, saying, 'The ancients!' 'The ancients!' But their actions, where we fairly compare them with their words, did not correspond with them. When he found also that he could not get such as were thus ambitious, he wanted to get scholars who would consider anything impure as beneath them. Those were the cautiously-decided, —class next to the former." Zhang pursued his questioning, "Confucius said, 'They are only your good careful people of the villages at whom I feel no indignation, when they pass my door without entering my house. Your good careful people of the villages are the thieves of virtue.'"

"What sort of people were they who could be styled 'Your good careful people of the villages?'"

Mencius replied, "They are those who say, 'Why are they so magniloquent? Their words have not respect to their actions and their actions have not respect to their words, but they say, 'The ancients! The ancients! Why do they act so peculiarly, and are so cold and distant? Born in this age, we should be of this age, to be good is all that is needed.' Eunuch-like, flattering their generation—such are your good careful men of the villages."

Wan Zhang said, "Their whole village styles those men good and careful. In all their conduct they are so. How was it that Confucius considered them the thieves of virtue?"

Mencius replied, "If you would blame them, you find nothing to allege. If you would criticise them, you have nothing to criticise. They agree with the current customs. They consent with an impure age. Their principles have a semblance of right-heartedness and truth. Their conduct has a semblance of disinterestedness and purity. All men are pleased with them, and they think themselves right, so that it is impossible to proceed with them to the principles of Yao and Shun. On this account they are called 'the thieves of virtue.' Confucius said, 'I hate a semblance which is not the reality. I hate the darnel, lest it be confounded with the corn. I hate glib-tonguedness, lest it be confounded with righteousness. I hate sharpness of tongue, lest it be confounded with sincerity. I hate the music of Zheng, lest it be confounded with the true music. I hate the reddish blue, lest it be confounded with vermilion. I hate your good careful men of the villages, lest they be confounded with the truly virtuous.' The superior man seeks simply to bring back the unchanging standard, and, that being correct, the masses are roused to virtue. When they are so aroused, forthwith perversities and glossed wickedness disappear."

【注释】［1］孔子在陈曰：见《论语·公冶长》，原文为"子在陈曰：'归与！归与！吾党之小子狂简，斐然成章，不知所以裁之。'"
与万章所引略有不同。[2]狂狷：激进与拘
谨保守。《论语·子路》作"狂狷"。[3]
琴张：人名，具体情况不详。[4]牧皮：人名，
具体情况不详。[5]嘐嘐（xiāo）：赵岐注：
"志大言大者也。"形容志大而言夸。[6]
夷：句首助词，无义。[7]乡原（yuàn）：原，
"愿"的古字，谨慎老实。乡原，乡里貌似
谨厚而实与流俗合污的伪善者。人们通常理
解为阿谀媚世、处事圆滑，谁也不得罪的老
好人。[8]孔子曰：这段话在《论语·阳货》
中只有"子曰：'乡原，德之贼也。'"[9]
踽（jǔ）踽凉凉：落落寡合的样子。[10]阉然：
像宦官那样巴结逢迎的样子。[11]莠（yǒu）：
狗尾草。[12]反：同"返"。经：正常之道。
[13]慝（tè）：奸邪。

【译文】 万章问道："孔子在陈国说：'何不
回去呢！我乡里的那些晚辈们志大而狂放，

进取而不忘本心。'孔子在陈国，为什么思念鲁国的那些狂放之士呢？"

孟子说："孔子曾说'如果找不到行为上合乎中庸之道的人与他交往，也一定要找狂狷的！狂者肯于进取，狷者不会为非作歹'。孔子难道不想和言行合于中庸之道的人相交吗？不一定能得到，所以只能求次一等罢了。"

（万章问：）"请问什么样的人可以叫作狂放之人？"

（孟子）说："像琴张、曾皙、牧皮这类人，就是孔子所说的狂放之人。"

（万章问：）"为什么说他们是狂放之人呢？"

（孟子）说："他们志向远大，言语夸张，总是说'古人啊！古人啊！'可是考察他们的行为，却不和言语相符合。如果这种狂放之人也得不到，那就和洁身自好的人相交往了，这些洁身自好的人就是孔子所说的狷介之人，这又是次一等的人。孔子说：'从

239

我家门口经过却不进到我的屋里来，我并不
遗憾的人，那就只有乡愿了吧！乡愿是戕害
道德的贼。'"

（万章）问："什么样的人可以称为乡
愿呢？"

（孟子）说："（乡愿讥讽狂放者说）
'为什么这样志大言大呢？言语不能顾及行
为，行为不能顾及言语，只是会说，古人呀！
古人呀！（又讥讽狷介之人说）'为什么这
样落落寡合呢？生在这个世界上，迎合这个
世道，让别人说你好就行了。'像宦官一样，
八面玲珑、四处讨好的人，就是乡愿。"

万章说："全乡的人都说他是老好人，
无论到哪里都表现得像个老好人，孔子却认
为他是戕害道德的贼，这是为什么呢？"

（孟子）说："你要批评他，举不出什
么错来，你要指责他，却又好像无可指责；
他只是和世俗同流合污；为人好像忠诚老实，
行为好像廉洁方正；大家都喜欢他，他也自

以为正确，但实际上，并不能与他一起践行尧舜之道，所以说他是戕害道德的贼。孔子说：'厌恶那些似是而非的东西：厌恶狗尾草，怕的是它混乱禾苗；厌恶惯用花言巧语的人，怕的是它搞乱正义；厌恶强辩，怕的是它搞乱信实；厌恶郑国的乐曲，怕的是它搞乱雅乐；厌恶紫色，怕的是它搞乱正宗的红色；厌恶乡愿，怕的是他搞乱道德。'君子的所作所为不过是为了让一切回归正道罢了。回到正道，老百姓就会振作起来；老百姓振作起来，那么就没有邪恶了。"

【解读】本章中，孟子根据中庸之道的施行程度，论述了三种不同的人：中道、狂狷、乡愿。并对其做了排序，即中道最优，其次狂狷，再次乡愿，从而阐明了自己的价值判断：志于中道、寻求狂狷、批判乡愿。言行合乎中庸之道的人，自然是达到了最高的境界，不过遗憾的是，这一境界极难达到，孔子也因此感叹："中庸之为德也，其至矣乎！民鲜久矣。"（《论语·雍也》）行为合乎中庸之道的人无法求得，退而求其次的便是狂狷之士。狂者，即志向远大，言语激进，但行为却不一定与其言语相符合，如果用今日的观点来看，有些类似于"眼高手低"。狷者，即是行为趋于保守，但做事讲求原则，洁身自好，绝不为非作歹的人。乡愿，便是那种左右逢源、八面玲珑的老好人，这种人四处讨好，很少有人说他的坏话。看起来，狂狷者各有其缺点，而乡愿者备受称赞，似是最好，可事实是这样吗？狂放之人志向远大，锐意进取，有着成就事业的干劲与冲劲。狷介之士有着自己的原则，即便难以成就大事，也不会危害社会。而乡愿之士，是孔子与孟子一致反对的，所忧虑的便是其戕害道德。因为他们总是与世同流讨好各方，不守原则，看似忠厚廉洁，实际上是伪君子。这种人不仅自身没有道德操守，反而使有德之士蒙受

不公，意志坚定者尚可，一旦信念动摇便会
转向乡愿之列。久而久之，则世风日下，道
德败坏。更可怕的是，由于他们没有什么明
显的过错，又四方讨好，使别人认为他是好
人，我们难以去对其进行批驳，因而难以有
效地纠正社会风气。分析乡愿的种种举动可
知，修身明德，要旨在于存真去伪；经世弘道，
其关键在于涤除乡愿。

14.38

孟子曰："由尧舜至于汤，五百有余岁；若禹、皋陶，则见而知之；若汤，则闻而知之。由汤至于文王，五百有余岁，若伊尹、莱朱[1]，则见而知之；若文王，则闻而知之。由文王至于孔子，五百有余岁，若太公望、散宜生[2]，则见而知之；若孔子，则闻而知之。由孔子而来至于今，百有余岁，去圣人之世若此其未远也，近圣人之居若此其甚也，然而无有乎尔，则亦无有乎尔[3]。"

Mencius said, "From Yao and Shun down to Tang were 500 years and more. As to Yu and Gao-yao, they saw those earliest sages, and so knew their doctrines, while Tang heard their doctrines as transmitted, and so knew them. From Tang to king Wen were 500 years and more. As to Yi Yin, and Lai Zhu, they saw Tang and knew his doctrines, while king Wen heard

孟子　吴泽浩　绘

them as transmitted, and so knew them. From king
Wen to Confucius were 500 years and more. As to
Taigong Wang and Sanyi Sheng, they saw Wen, and
so knew his doctrines, while Confucius heard them
as transmitted, and so knew them. From Confucius
downwards until now, there are only 100 years and
somewhat more. The distance in time from the sage
is so far from being remote, and so very near at hand
was the sage's residence. In these circumstances, is
there no one to transmit his doctrines? Yea, is there
no one to do so?"

【注释】［1］莱朱：汤的贤臣。［2］散宜生：
文王贤臣。［3］然而无有乎尔，则亦无有乎
尔：朱熹《四书章句集注》引林氏的解释认为：
前半句"然而无有乎尔"指没有"见而知之"
者；后半句"则亦无有乎尔"指五百余岁之
后更不会有"闻而知之"者了。可见，孟子
对没有人继承孔子圣人学说的忧虑。

【译文】孟子说："从尧舜到汤，经历了五百多年，像禹、皋陶那样的人，是亲眼所见尧舜之道而继承的；像汤，则是听说尧舜之道而继承的。从商汤到周文王，又经过五百多年，像伊尹、莱朱那样的人，是亲眼所见商汤之道而继承的；像周文王，则是听说商汤之道而继承的。从周文王到孔子，又经过五百多年，像太公望、散宜生那样的人，是亲眼所见文王之道而继承的；像孔子，则是听说文王之道而继承的。从孔子到现在，一百多年，离圣人的时代并不远，距圣人的家乡这样近，却没有亲眼见到圣人之道的人，（五百多年后）也就没有听到继承圣人之道的人了。"

【解读】本章作为《孟子》全书最后一章，从语义来看，似为孟子晚年对于"道之不行"的感叹，其中蕴含着孟子对于中华"道统"传承的忧虑。孟子在战国这个纷繁动荡的时代中奔走呼号，为的是儒家所期望的理想社会秩序得以实现，为的是天下百姓能够安居乐业，为的是所谓"圣人之道"继之先祖而传之万世。从当时的社会背景与孟子的实际境遇来看，孟子的主张未能契合各国称霸图强的要求，也未被各国国君所采用，他似乎没有成功。但孟子真的失败了吗？答案是否定的。孟子思想早已打破时间的阻隔，历朝历代都有孟子思想的"声音"，其凭借顽强的生命力在各个时代都能焕发出勃勃生机，直至今日，孟子的仁政学说和民本思想，仍对我们的治国理政、为人处世有着独特的意义。自尧、舜、禹、汤、文、武、周、孔以至今日，中华之"道统"仍在不断传承与发展。圣人已逝，思想不朽。

后记

　　"中华优秀传统文化书系"是山东省委宣传部组织实施的 2019 年山东省优秀传统文化传承发展工程重点项目,由山东出版集团、山东画报出版社策划出版。

　　"中华优秀传统文化书系"由曲阜彭门创作室彭庆涛教授担任主编,高尚举、孙永选、刘岩、郭云鹏、李岩担任副主编。特邀孟祥才、杨朝明、臧知非、孟继新等教授担任学术顾问。书系采用朱熹《四书章句集注》与《十三经注疏》为底本,英文对照主要参考理雅各（James Legge）经典翻译版本。

　　《孟子》（四）由郭云鹏担任执行主编;

朱振秋、周茹茹、韩振、陈阳光担任主撰；王明朋、王新莹、朱宁燕、刘建、李金鹏、杨光、束天昊、张勇、张博、尚树志、房政伟、屈士峰、高天健、郭耀、黄秀韬、曹帅、龚昌华、鲁慧参与编写工作；于志学、吴泽浩、张仲亭、韩新维、岳海波、梁文博、韦辛夷、徐永生、卢冰、吴磊、杨文森、杨晓刚、张博、李岩等艺术家创作插图；本书编写过程中参阅了大量资料，得到了众多专家学者的帮助，在此一并致谢。